D0551005

DU MÊME AUTEUR

chez le même éditeur

Projet d'écriture pour l'été 76, 1973
La Traversée/le regard (sous le pseudonyme d'André Lamarre), 1973
Persister et se maintenir dans les vertiges de la terre qui demeurent sans fin, 1974
Interventions politiques, 1975
Pirouette par hasard poésie, 1975
Enthousiasme, 1976
Du commencement à la fin, 1977
Propagande, 1977
Feu précédé de *Langue(s)*, 1978
Blessures (prix Émile-Nelligan), 1978
Peinture automatiste précédé de *Qui parle dans la théorie?* 1979
Le temps échappé des yeux. Notes sur l'expérience de la peinture, 1979
1980, 1981
Mystère, 1981
La Passion d'autonomie. Littérature et Nationalisme, 1982
Toute parole m'éblouira, 1982
D'où viennent les tableaux? 1983
Je suis ce que je suis, 1983
François, 1984
Le fait de vivre ou d'avoir vécu, 1986
Le Monde comme obstacle, 1988
La beauté pourrit sans douleur suivi de *La Très Précieuse Qualité du vide*, 1989
Pour les amants, 1992
La vie n'a pas de sens suivi de *La Chambre des miracles* et de
La Fragilité des choses, 1994
Clair génie du vent, 1994
Le passé ne dure que cinq secondes, 1996

autres éditeurs

18 assauts, collection Génération (France), 1972
Au «sujet» de la poésie, l'Hexagone, 1972
Littérature/obscénités, Danielle Laliberté, 1973
La beauté des visages ne pèse pas sur la terre, Écrits des Forges
(Grand Prix de poésie de la Fondation Les Forges et prix Air-Canada), 1990
L'Intraduisible Amour, Écrits des Forges/Le Dé bleu (France)
L'Arbre à paroles (Belgique) (prix du Journal de Montréal), 1991

FRANÇOIS CHARRON

La Passion d'autonomie

LITTÉRATURE ET NATIONALISME

suivi de

Une décomposition tranquille

essai

LES HERBES ROUGES

Nous remercions le Conseil des arts du Canada
de l'aide accordée à notre programme de publication.

Les Herbes rouges bénéficie du soutien du ministère
du Patrimoine canadien et de la Société de développement
des entreprises culturelles du Québec pour son programme d'édition.

Dépôt légal : BNQ et BNC, premier trimestre 1982
Nouvelle édition :quatrième trimestre 1997
© Éditions Les Herbes rouges et François Charron, 1997
ISBN 2-89419-123-5

LA PASSION D'AUTONOMIE
LITTÉRATURE ET NATIONALISME

On n'a pas eu envie de s'arrêter
On n'a pas eu trop de fatigues à dompter
Pour l'indépendance de nos gestes dans l'espace
Pour la liberté de nos yeux sur toute la place
Pour le libre bond de nos cœurs par-dessus les monts

SAINT-DENYS GARNEAU

Nos passions façonnent spontanément, imprévisiblement, nécessairement le futur.

Le passé dut être accepté avec la naissance, il ne saurait être sacré. Nous en sommes toujours quittes envers lui.

PAUL-ÉMILE BORDUAS

Une intolérance démente nous ceinture. Son cheval de Troie est le mot bonheur. Et je crois cela mortel. Je parle, homme sans faute originelle sur une terre présente. Je n'ai pas mille ans devant moi. Je ne m'exprime pas pour les hommes du lointain qui seront – comment n'en pas douter? – aussi malheureux que nous. J'en respecte la venue. On a coutume, en tentation, d'allonger l'ombre claire d'un grand idéal devant ce que nous nommons, par commodité, notre chemin. Mais ce trait sinueux n'a pas même le choix entre l'inondation, l'herbe folle et le feu! Pourtant, l'âge d'or promis ne mériterait ce nom qu'au présent, à peine plus. La perspective d'un paradis hilare détruit l'homme. Toute l'aventure humaine contredit cela, mais pour nous stimuler et non nous accabler.

[...] Il faut apprendre à vivre sans linceul, à replacer à hauteur, à élargir le trottoir des villes, à fasciner la tentation, à pousser la parole nouvelle au premier rang pour en consolider l'évidence. Ce n'est pas un assaut que nous soutenons, c'est bien davantage : une patiente imagination en armes nous introduit à cet état de refus incroyable. Pour la préservation d'une disponibilité et pour la continuation d'une inclémence du non-moi.

RENÉ CHAR

La liberté des souffles

Nous vivons à l'heure actuelle une période qui, tant au niveau national qu'au niveau international, marque l'ébranlement des grands idéaux qui jusqu'à ce jour ont guidé l'avenir de l'Humanité. Malgré deux grandes guerres mondiales, la montée des fascismes, la victoire des impérialismes et le renforcement des totalitarismes, la vision manichéenne du bon et du mauvais camp réussit encore à convaincre la majorité d'une ligne juste qu'il ne lui resterait plus qu'à appliquer pour résoudre l'ensemble de ses problèmes. C'est toujours l'idée d'une Voie à suivre, d'une orthodoxie à sauvegarder, d'une vertu idéologique à perfectionner qui se maintient aujourd'hui, et ce, quel que soit le prix.

Différentes issues s'offrent à l'homme et à la femme contemporains : s'entêter à poursuivre les vieux idéaux de la gauche et de la droite malgré leurs échecs pratiques répétés dans plusieurs parties du globe; se réfugier dans les obscurantismes réconfortants qui dissocient l'exigence de vérité de la justice sociale et de la vie intérieure de chacun; ou plus simplement abandonner toute position critique pour s'adonner à l'opinion dominante du moment. Face aux utopies des grandes options (capitalisme, communisme, fascisme, nationalisme, humanisme) l'individu reste impuissant à entreprendre par lui-même leur analyse. Là où la terreur et l'injustice avaient été renversées sont réapparues à nouveau la terreur et l'injustice. Là où la liberté avait vaincu la censure et l'oppression se sont réinstallées de nouvelles censures et de nouvelles oppressions. Le schéma des grandes familles de pensées opposées apparaît aujourd'hui inadéquat à démontrer en quoi les idéologies de la libération préparaient la naissance d'asservissements encore plus subtils. Les causes finales, les directions données comme inhérentes à une marche de l'Histoire, les rationalisations pour cerner les causes du mal, toutes ces interprétations du phénomène humain présentement en faillite n'auront pas su nous délivrer d'une volonté d'uniformisation qui, tant à droite qu'à gauche, pèse lourdement sur le devenir des peuples et des personnes.

Racisme, sexisme, dogmatismes, fanatismes religieux, ces fléaux combattus ne nous laissent encore envisager que des résultats bien fragiles. Si le travail de conscientisation doit continuer à dénoncer les discriminations de toutes sortes, sa faiblesse n'en demeure pas moins dans l'incapacité qu'il aurait à remettre en cause ses stratégies, ses présupposés, ses erreurs. Ayant longtemps cru aux propriétés salvatrices de la Raison, nous aurons fini par constater la collusion de plus en plus serrée entre celle-ci et les machines d'exploitation et de guerre. Nous aurons vu se développer, dans un même élan, des sciences assurant un mieux-être, un soulagement de la misère humaine, une meilleure compréhension des conditions d'existence et de progression des sociétés, tout en engendrant les incessants moyens de tromper, d'extorquer et de tuer sans scrupules. L'affaiblissement de certaines croyances religieuses (croyances qui refont surface et nous

jurent de posséder une solution à la barbarie de notre époque) aura laissé la place autrefois occupée par Dieu aux
rationalismes qui, pour une grande part, à leur tour, auront
juré de trouver une solution aux injustices sociales, mais
pour finalement nous plonger plus avant dans la haine, le
ressentiment et l'intolérance. Les systèmes de valeurs se
seront remplacés sans que soient questionnés la place et
le rôle qu'occupe tout système de valorisation à l'intérieur d'un ensemble social. Défaites des ordres anciens
et arriérés pour laisser cours très rapidement aux abus des
ordres nouveaux. Nous sommes restés fascinés par le miracle anticipé que nous assurent les systèmes : mettre fin,
une bonne fois pour toutes, aux contradictions qui nous
déchirent. Nous sommes demeurés, jusque dans nos incroyances mêmes, cramponnés à cette foi archaïque en
un salut de l'Humanité à réaliser. Nous n'avons jamais su
nous dégager de la hantise d'une Vérité objective, garante de nos conduites et de nos morales. Le désir profond
de fixer les dynamismes pour tout englober et faire ainsi
transparaître la totalité du réel a constitué jusqu'à ce jour
le plus grand handicap de nos grilles d'explications. A
fait défaut l'écoute sensible, toujours provisoire, des nombreux domaines où la vie s'écoule mêlée à nos perceptions lumineuses, nos désabusements secrets, nos
chimères exaltées. Tour à tour les optimismes et les pessimismes les plus sereins se seront succédé sans que soit
interrogé le danger de cette sérénité absolue.

*

La situation présente nous demande non seulement
de combattre pour des valeurs ouvertes, critiques, plurielles, mais d'ausculter la dimension imaginaire des

systèmes de valeurs dans le cadre des regroupements humains; dimension imaginaire provoquant des processus d'identifications qui peuvent aller jusqu'à l'embrigadement le plus sinistre, à un narcissisme de groupe voué au culte de l'idole sociale et aux exclusions qu'elle met en œuvre. Il faut cesser de considérer l'homogénéisation des valeurs comme une heureuse victoire sur la multiplicité foisonnante des pratiques et des points de vue. Il faut tenter d'inaugurer des postures éthiques au plus près d'une vie qui se rejoue et se défait constamment. Les crises ne doivent pas être surmontées sans que soit entendue cette négativité en procès qui partout et de tout temps scandalise la vanité de nos acquis, brise le rêve mortifère de nos conventions en train d'occulter de nouvelles zones de contact possible. Il faut tendre, dans son impossibilité même, à une attitude perpétuellement en éveil, attitude qui ne peut pas ne pas soulever la question de la conservation et de l'accroissement relatifs de la vie parmi des structures sociohistoriques complexes, elles aussi relatives. Attitude venant inévitablement déplaire aux hégémonies culturelles, religieuses, politiques, scientifiques qui tiennent à dominer les exubérances de l'être, ses intuitions, ses voluptés; qui tiennent à combler le manque angoissant qui est la condition même du souffle et de l'arrêt du souffle; qui tiennent à nier la mortalité vivante des êtres et de leurs institutions, en ordonnant, légalisant, sacralisant coûte que coûte. Les adeptes de ces machines finalisantes concrétisent le besoin d'autorité et de maîtrise refoulant une peur primitive du dissemblable, de l'étrange, de l'inconnu, du vide; affirment le triomphe de l'avoir et du pouvoir dans la consolidation des groupes – l'État en symbolisant l'accomplissement suprême. La nouvelle attitude à adopter pour contrer les discours de force qui mènent le monde doit cependant elle-même parer à ce désir archaïque de retour au grand centre rédempteur. Elle se forge (c'est là son défi inapaisable) dans l'écoute provisoire, le sensible et le rationnel de cette écoute; un tiraillement, au sein même de cette écoute, entre sensibilité et raison, jouissance et sublimation, pour avancer sur la ligne de leur équilibre précaire. Analyse de nos vérités supposées indiscutables qui nous ferait remonter au premier rapport qui lie l'enfant à son Père-Mère représentant la communauté. Là s'établit le drame d'amour et de haine chez l'être socialisé, sa volonté fascinée de se laisser enfermer dans un discours pour ne plus faire qu'un avec l'Autre, cet Autre qui lui assure reconnaissance et identité. Là se font jour son désir de règles à suivre, son désespoir devant la séparation et l'absence, son appétit de bonheur et de coïncidences opposant l'être qui veut saisir le monde, en jouir sans s'y dissoudre, à ce monde en mutations qui l'emporte indéniablement. Conflit qui est le gage même de la profondeur de notre parole et de la justesse de nos actions.

*

À partir de cette vue d'ensemble où j'ai voulu signaler les dangers de toute quiétude et de toute régulation impérative, j'aimerais maintenant aborder le domaine plus spécifique du nationalisme et de sa conception de la littérature. Je situerai d'emblée mon propos dans le prolongement d'une lignée historique qui s'est développée à même les dissensions opposant les tenants du régionalisme aux tenants de la «liberté des souffles». J'emprunte cette dernière expression à Louis Dantin, critique qui a eu la parfaite intelligence de nous révéler notre premier

poète marginal; un poète en mesure de désenfouir la scène obsessionnelle de ses désirs blessés, et ce, à l'encontre des ferveurs mièvrement lyriques d'un patriotisme de
bon ton. Il s'agit d'Émile Nelligan, de sa déraisonnable
aventure aux enjeux encore inaperçus, et qui passe par
une problématique œdipienne non résolue où se devine
l'impossibilité d'une rébellion. C'est à tort, à mon avis,
qu'on assimile ce poète naufragé à une quelconque conformité religieuse qui aurait supposément invalidé la portée moderne de son expérience écrite. Je préciserai ailleurs
les intérêts qui encore aujourd'hui recouvrent la complexité de cette poésie convulsive et désespérée.

Il faudra bien, un jour, examiner de près les débats
qui opposèrent les soldats du terroir, l'École littéraire de
Montréal, *L'Action française,* aux écrivains solitaires qui
ont secoué la langue sédentarisée de leurs Pères (je songe
notamment au travail méconnu d'une revue, *Le Nigog,* à
ses poètes non conformistes, bannis par l'establishment
littéraire de l'époque[1]). Pour ce qui me préoccupe, ici, je
me contenterai d'un corpus plus restreint.

---

1. Remarquons que la récupération nationaliste camoufle encore
aujourd'hui les dissensions. Qu'on songe à l'entreprise péquiste
La Nuit de la poésie 1980, film qui a «oublié» l'ensemble du travail poétique des dix dernières années (en s'abritant bien sûr derrière la caution morale de deux ou trois poètes «visibles» de la
jeune génération) parce que celui-ci se confondait mal avec l'image d'une poésie du pays des années 60. Dans ce film, on a voulu
donner le premier rôle au pays, au référendum et au *oui,* tout cela
aux dépens de dix ans de recherches littéraires au Québec. Le poète
nationaliste Michèle Lalonde y fait d'ailleurs une apparition pro-
longée au cours de laquelle elle fustige avec l'éloquence de la
maîtresse d'école (en les renvoyant dos à dos) le populisme dont
elle tente de s'exclure et le «formalisme» qui a constitué la recherche de pointe des années 70-80 en poésie.

Dans ce qui va suivre, je poserai donc la question des propriétés nationales de la littérature, sous l'angle précis de l'écrivain à l'intérieur d'un système social : être improgrammable, passionné de langage, que je perçois comme un praticien inspiré du doute. Je ne parlerai pas des écritures narratives, m'astreignant à défendre le domaine plus «poétique» des langages contemporains qui résistent au déterminisme indiscutable du Sens. Je le ferai d'une manière à la fois coordonnée et impulsive, dans toute la gratuité du geste de penser. Texte emporté, en constante digression, oublieux des règles du genre. Texte en roue libre, bâtard au sens où les peintres automatistes revendiquaient – en dénonçant «un jury de valets ligotés» – leur exposition de rebelles comme un fruit «bâtard et sain comme la bâtardise[2]». Et ceci parce que je ne crois qu'aux tentatives allant au-delà des conceptualisations du moi, qu'aux insécurités fondamentales, qu'aux certitudes et incertitudes entremêlées, qu'aux régions de pénombre où nous cherchons à croiser un rythme et un nom pour appeler le réel. Il y a des réponses, puis des questions. Puis, soudainement, à proximité d'un centre qui s'efface, on ne sait pas.

Je pense qu'une des tâches majeures de l'écrivain est de saisir la réalité contradictoire de sa place et de son rôle au sein de sa communauté. Au Québec, cette question nous conduit directement à un débat où se manifestent des dissensions tenaces. Dissensions soulevées, d'une part, par l'éternelle récitation d'une question nationale aux valeurs morales omniprésentes, et, d'autre part, par la pratique subjective de l'écriture qui creuse les présupposés

---

2. Tract intitulé *L'Exposition des rebelles,* distribué «contre l'arrivisme bourgeois infestant le jury de l'Art Association» (1950).

inconscients de notre rapport au monde. Je voudrais, à travers la relecture de trois textes marquant le recoupement écrivain / écriture / nationalisme, mettre en scène les divergences qui séparent deux types d'écrivains. Un premier type, que j'appellerai *écrivain organique,* qui fait corps avec une intention ou un mouvement politique, puis un deuxième type, que j'appellerai *écrivain indépendant,* qui repousse toute direction arrêtée, pour sonder les limites de son imaginaire. Il va de soi que ce genre de définition polarise en théorie deux positions qui dans les faits peuvent se recouper et se contredire en chaque individu.

Les deux premiers textes analysés, dont je montrerai les complicités inavouées, sont celui de l'abbé Lionel Groulx, «Une action intellectuelle[3]», et celui de Michèle Lalonde, «Les écrivains et la révolution[4]». Le troisième texte, qui pour ainsi dire répond et s'attaque aux deux premiers, est celui du peintre Paul-Émile Borduas, *Refus global*[5], manifeste cosigné par des artistes et des intellectuels[6] curieux des découvertes qui leur venaient d'ailleurs (je

---

3. «Une action intellectuelle», in *L'Action française,* vol. 1, n° 2, février 1917, p. 33-43.
4. «Les écrivains et la révolution», in *Défense et illustration de la langue québécoise,* Paris, éd. Seghers / Laffont, coll. Change, 1979, p. 161-169.
5. «Refus global», in *Textes,* Montréal, éd. Parti Pris, 1974, p. 9-20.
6. Que les textes de Groulx et de Lalonde soient le fait d'intellectuels qui fonctionnent strictement au niveau de la langue écrite, alors que celui de Borduas est l'affirmation d'un peintre, ne me semble pas sans conséquence. La parole de Borduas, de par l'intensité non verbale de la gestualité automatiste, est sans doute étroitement liée à la disponibilité d'un être vivant la perte de toute langue dans la dissémination des couleurs et l'expérimentation d'un nouvel espace. Le peintre se trouve en cela directement aux prises avec ce qui déplace sans fin l'identité du sujet cartésien.

pense aux hypothèses de la psychanalyse, aux théories sociales de gauche et à l'effervescence créatrice du surréalisme français). Les dates de rédaction de ces trois textes illustrent à mes yeux ce phénomène de dilution intéressée qui, partant de 1917 avec Groulx, vient, avec Lalonde en 1979[7], rendre inoffensif le courant de révolte que met en branle le *Refus global*. Et je veux dire par là que ces deux nationalismes, en apparence distincts, s'entendent très bien, sous le couvert contrôlant d'une littérature nationale, pour neutraliser les fulgurances désinvoltes des «mystères objectifs» et de «l'anarchie resplendissante» des automatistes. Il s'agira de décoincer le texte de 1948 qui se trouve piégé entre un nationalisme conservateur et religieux (1917) et un nationalisme revendicateur et militant (1979). Face à ces deux versions du nationalisme, le geste libérateur de Borduas ne peut qu'effectuer une coupure[8].

L'essai opérera une analyse de ces trois documents en s'efforçant d'en mesurer les implications historiques et existentielles. Il se voudra avant tout une ouverture pour

---

7. Il s'agit ici de la date de publication, ce texte ne comportant aucune indication quant à l'année de sa rédaction.

8. Ce geste, loin d'être apolitique, remet en cause une conception étroite du politique, assimilant le rôle de toute activité sociale à son appartenance officielle à une idéologie, un mouvement, un programme, un parti. Ce geste rejette les cadres d'appartenances qui censurent ou récupèrent la discontinuité radicale des actes libérateurs. Il ne se laisse pas amadouer par l'intention politique, il déconditionne ce que certains groupes tiennent à contrôler : le privé, le sexuel, le transcendant (ce qui échappe aux prescriptions et aux bilans). S'il appuie les mouvements de contestation politique, ce n'est jamais pour s'en remettre docilement à eux. Hétérogène par rapport à toute assomption du Même, il ne donne sa langue à personne. Comme geste singulier, il persiste dans son irréductibilité pratique.

repenser les conjonctures qui délimitent le travail de l'écrivain, en même temps qu'un hommage au défi infiniment exigeant que nous lèguent Borduas et son incandescente passion d'autonomie.

Religion et nationalisme :
le corps des croyances

Poser aujourd'hui la question de la place qu'occupe la littérature dans une société, c'est poser du même coup la question de l'instance paternelle et de son rôle régulateur, rôle qui permet l'émergence et la reconnaissance des sujets à l'intérieur d'une même famille, d'un même groupe, d'une même communauté. Inévitablement, c'est poser aussi le problème du code, de la Loi et de l'altérité, lieu du partage symbolique systématisé depuis des siècles par l'institution religieuse, institution qui coïncide elle-même avec le développement des nations et du nationalisme.

Finalement, si nous voulons cerner un tant soi peu les particularités du phénomène littéraire au Québec, nous sommes amené à le réinscrire au sein de ces deux grandes régions de l'aventure humaine que sont les croyances religieuses et les valeurs nationalistes. Pour ce faire, il nous est indispensable d'aborder ces deux importants moyens d'identification à travers les structures de réglementations que sous-tend l'image du Père pour un individu se reconnaissant d'une époque et d'un lieu donné. En cela nous voulons signifier l'impossibilité pour un sujet de se situer dans le réel sans passer par l'instance symbolique qu'engramme le langage dans le cerveau humain, instance que nous rattachons expressément à l'image du Père comme détenteur de la Loi, et dont le fonctionnement vient assurer un maximum de cohésion subjective et sociale.

*

Depuis sa fondation, la religion chrétienne s'est toujours réclamée de la figure du Père[1]. Toute l'histoire de la vie du Christ se déroule dans un rappel constant à la bienveillance et à l'autorité du Père, Dieu un et indivisible. Selon le message des Évangiles, tout vient et retourne à Lui, c'est Son mystère qui donne sens à la vie de chacun dans le cadre de la communauté croyante. Ce Sens vers lequel converge chaque individu est donné dans l'Amour infini du Père pour ses enfants, mais cet Amour ne peut se vivre que par l'adhésion pratique du fidèle au groupe qui gère la Loi en son Nom. Une telle Loi implique une série de valeurs qui ont pour but de reproduire l'homogénéité du groupe par l'enseignement d'un respect des hiérarchies qui délimitent la fonction de chaque entité au sein de l'ensemble. Du même coup, cette Loi fonde le berceau des appartenances qui, à leur tour, aménagent les liens de reconnaissances par lesquels la subjectivité parlante de l'être se manifeste. En ce sens, le monothéisme

---

1. Notre interprétation du phénomène religieux se base sur la version officielle que l'Église donne du message évangélique (notamment à travers les textes de saint Paul). Nous excluons volontairement les lectures qui déplacent la conception traditionnelle de l'Ancien et du Nouveau Testament, et qui font du Christ une résistance, une exception à la règle, ne fondant rien d'autre qu'une ouverture aux exceptions (nous pensons, entre autres, aux transcendances mystiques et aux hérésies gnostiques).

chrétien fait langage dans la mesure où il permet des comportements qui bannissent les exceptions en culpabilisant le rapport à l'Autre, à l'Amour, à la Règle. Il fonde une Vérité épurée de toute solitude et de toute dérivation. Si les interdits peuvent varier, ils ne doivent en aucun cas être levés, au risque de faire s'évanouir le groupe et le Dieu qui le porte; menaces directes aux fondements symboliques de la Parole réglementaire, indifférenciation aliénante livrant le sujet obnubilé à lui-même, humanité sans contenu et sans attaches au milieu d'une immensité absurde...

Cette unité de l'être que rend possible la religion se base sur une promesse de consolation : la continuité du sujet par-delà les frontières de la mort, la vie éternelle de la communauté des fidèles dans le face à face avec le Principe de toute chose. L'immortalité promise ne peut cependant être atteinte que par l'obéissance à cet Amour de la Loi du Père, obéissance qui invite aux restrictions, aux sacrifices, dans l'acceptation de la faute originelle que le Fils est justement venu racheter pour l'éventuel bonheur de tous. De là le schème culpabilisant – *faute* (dérogation à la Loi), *regret, repentir, expiation, purification* – facilitant la réintégration dans la communauté aimante où chacun doit faire profession d'obéissance. La délivrance à mériter s'achète via l'imitation de la Parole du Père, que le Fils a livrée au monde à travers sa prédication, ses souffrances, sa mort et sa résurrection. Les doutes, les non-sens, les violences se trouvent ainsi expliqués et expiés par la glorification du Un rédempteur qui panse toutes nos blessures.

Le Christ vient effacer la malédiction de la première faute, celle qui condamne le premier homme et la première femme, ainsi que tous leurs descendants, à la désintégration sans appel. Le rêve d'unité et de bonne entente universelle passera donc par le rachat de la dette que les premiers parents nous ont léguée. La faute en question, on le sait, a un caractère éminemment sexuel; elle permet à Adam et Ève d'expérimenter le scandale de la nudité à travers la rébellion et le désir d'autonomie à l'égard de la Parole du Père; grâce à elle, le premier couple découvre l'angoisse du manque originel, de la solitude et du néant. Que l'acte de goûter le fruit de l'arbre de la Connaissance du Bien et du Mal soit posé par une femme (Ève, cette anti-Vierge Marie) n'est pas sans incidence. Il met en jeu celle qui détient le pouvoir et le savoir de la création, principe sacré de l'engendrement dont Dieu seul peut disposer. La source de toute vie humaine dessaisit le grand concepteur de son mystère, dans la mesure où elle soulève le voile sur la reproduction de la vie. La mère impie de l'Humanité – qui a provoqué la dispersion des hommes, qui a voulu franchir la limite ordonnée, qui a voulu se séparer, qui a voulu connaître la loi du Bien et du Mal en s'imaginant pouvoir la dépasser, qui a choisi d'expérimenter la vulnérabilité de son désir, qui s'est pour ainsi dire prise pour Dieu lui-même – le paie alors des douleurs de l'enfantement, des fatigues du travail et de la mort. Ève entraînera donc Adam dans sa chute, ainsi que toutes les générations subséquentes jusqu'à la fin des temps. Elle figure le désir tentateur qui bafoue la Volonté et pousse l'innocence dans les ténèbres du péché.

L'immortalité qui ne connaît pas le sexe, l'incorruptibilité qu'Adam et Ève ont perdue en voulant défaire les bornes et questionner le discernement du Père, c'est une autre femme, Marie, mère du Christ, qui va les redonner à la communauté. C'est par l'intermédiaire d'une mère vierge, venue confirmer le non-rapport sexuel qui nous unit à la communauté et nous a engendré comme enfant de l'Éternel, que va s'accomplir la Parole de la Loi. Cette mère vierge choisie par le Père viendra boucher le trou qui nous ferait traverser le mur du temps de l'Écriture sainte. Le premier couple maudit (Adam et Ève) se voit racheté, ainsi que tous leurs descendants, par un deuxième couple conforme à l'Esprit (Jésus et Marie) qui représente l'idéal de pureté où l'enfant et sa mère ne se doivent l'un à l'autre que par un acte spirituel du plus grand amour consenti à la gloire immémoriale du Père. Le fils comme la mère ne connaissent pas la faute originelle (le rapport sexuel) qui a provoqué le châtiment et la mort. Ils pourront donc vivre par-delà ce châtiment et cette mort à travers l'Esprit saint qui les sanctifie, accomplissant ainsi le plus grand rêve de l'Humanité : celui d'une femme donnant la vie sans la mort.

Le langage religieux reconduit une peur archaïque de ne pas y être pour toujours avec elle, avec tous, et la mère vierge est là pour nous redire la Loi par laquelle nous serons tous éternellement avec elle et avec le Père qui est simultanément son époux et son fils. Le «souffle divin» venant animer la croyance implique un vœu ardent qui légifère de sorte que rien ne se disperse, que tout demeure en place grâce à l'incarnation du Verbe venu déjouer les affres de l'abîme. Les racines de la psychologie humaine se trouvent ainsi révélées. Elles sous-tendent la possibilité redoutable du vertige aux bordures de l'infini, «névrose» que la communauté se doit de contenir pour ne pas qu'un de ses membres tombe sous les ruses séduisantes du désir, ou pire, de la folie. La communauté doit converger vers un centre qui illumine et qui sauve, au risque de succomber à une incommensurable Absence, une endémique désolation de l'espérance de la langue.

L'attitude centralisatrice de l'Amour de la Loi du Père érige une barrière (un code) infranchissable qui inspire une crainte pouvant aller jusqu'au dégoût, à tous ceux qui seraient tentés de la défier en lui substituant les audaces de leurs propres passions. Le rejet intempestif de cette barrière suscite une adversité menaçant la cohésion du groupe lui-même, et ce, dans la mesure où il implique une vie à vivre en dehors de la fidélité à des préceptes tutélaires. Ce refus frôle les gouffres insondables, court les dangers de l'indistinction, rate la dignité pétrifiée de ce qui aurait dû être, néglige les responsabilités associées aux places et aux fonctions assignées.

Ainsi le Christ, fils sacrifié au nom de l'Amour, installe le genre humain dans un Sens universel garanti par son agonie et sa rédemption. Sa mort niée – traditionnellement montrée comme accomplissement du sens des Écritures – est ce qui maintient la Loi du Père à une hauteur sublime, sans précédent. Mort pour rien, l'entière création retourne au néant, le sujet perd le sens unique de son existence, la métamorphose spirituelle s'enlise dans la matérialité de la nature et la vérité de l'homme devient celle de sa captivité dans la matière. Le péché est alors qu'il y ait un jeu, du hasard, de l'inconnu, de la fragilité, du désir qui nous fassent manquer le But dans l'accomplissement de la Volonté paternelle. Le péché, c'est aussi de ne pas justifier ou masquer le sens tragique de l'aventure humaine, d'être assez détaché pour en rire, avec dans la bouche le goût sensuel d'un *autre monde*. Le péché c'est, au bout de sa propre langue, de garder ouverte la question de son rapport au monde en dérogeant au consensus symbolique, pour apercevoir le manque (à chaque fois comblé par la parole) qui nous renouvelle, nous égare, nous terrifie; de railler une confiance aveugle dans

l'infaillibilité des religions instituées et autres types similaires de regroupements humains. La reconduction de
l'ordre symbolique est donc, dans son ambivalence même,
le gage d'une circulation des signes qui alimente notre
cohésion interne, tout en demeurant un danger incontournable de corruption et d'étranglement lorsqu'il pétrifie
nos actes, indépendamment de toute considération éthique. En dernier ressort, seuls les dérangements qui font
mal, les crises pleinement assumées, peuvent appuyer l'essence critique de notre liberté.

La conception religieuse du monde, comme toute conception qui fonde un ordre de ressemblances, se définit à
l'aide d'un temps fermé, celui du Sens ou de la Mission à
accomplir. C'est le Fils immolé et sanctifié par sa résurrection qui vient consolider le temps chrétien comme une
succession logique se déroulant de façon linéaire depuis
la naissance des premiers parents et de chaque être, jusqu'à l'avènement de la mort et du Jugement dernier. Ce
temps s'articule à la promesse d'un passé toujours effectif, mais rachetable dans un présent légiféré, et qui se doit
d'opérer en vue de la réconciliation posthume dans l'Éternel; réconciliation incertaine, à se mériter, compromise
par le péché et une déchéance non moins éternelle. Le
Paradis des croyants représente ici la forme achevée d'un
univers idéal, sans contradiction, que les utopies politiques reprennent à leur compte, désapprouvant tout ce qui
travaille à se départir du poids mort de leurs principes.
Nous assistons alors au contingentement (par la Loi) du
présent de chacun, opération répressive que commande
l'efficacité de la logique aimante et autoritaire. L'institution religieuse solidifie son emprise grâce au déni d'une
sexualité et d'une mort sans recours. Cette emprise, selon les époques, peut aller jusqu'à la répression barbare

des individus qui ne se conforment pas à son interprétation de la Lettre. La grande communion universelle de l'Église mère à travers le corps mystique du Christ vient unir *sans reste* une société normalisée, posant comme trahison les transgressions qui dévisagent sa fausse bienveillance. Elle perpétue un culte des morts momifiant la Face paternelle qui surveille et qui juge par l'intermédiaire du surmoi ou de l'institution.

Le processus de normalisation où se tiraillent conscience, doute, culpabilité, risque d'entraîner les positions les plus fanatiques qui ont pour enjeu la pétrification de l'image narcissique. Camouflant ses contradictions, épousant la toute-puissance de la doctrine, le membre reçu de la grande famille religieuse développe à son insu des attitudes obsessionnelles et paranoïaques dont les impératifs de pureté font son orgueil. Un attachement si émotif à une Volonté écrite (que cette Volonté soit tracée par la main de Dieu, de l'Histoire ou de la Nature ne change rien à l'affaire) vient remplir un rôle essentiel : inscrire avec un maximum d'efficacité le poids de la dette dans la chair de l'homme et la logique de son discours.

Si nous renonçons difficilement au rêve de conformité exaltant l'harmonie parfaite, c'est probablement parce que celui-ci est la condition même du langage, de notre être au monde qui s'affirme à travers la chaîne symbolique, et témoigne de notre histoire commune. Ce rêve mettrait en jeu le désir enfantin d'une fusion totale à la mère, que la Loi empêche, remplace, en rivant le sujet parlant à *son* corps et à *sa* voix.

Ce n'est qu'à même les aléas d'une subjectivité toujours en procès – qui lève la Loi sans jamais l'abolir – que l'être peut résister à l'amour asphyxiant de la Loi du Père, amour de la répétition, de l'orthodoxie, de l'homogénéité.

C'est par sa liberté de sentir, de penser, de faire des choix, par son refus d'acquiescer aux pesanteurs établies qui bloquent la dépense et la perte, que se profile l'attention d'un sujet un peu moins rigide. Un sujet merveilleusement charnel qui se lance dans l'expérience toujours problématique du don de soi, un sujet qui peut dire non aux intolérances séculaires en les combattant dans leurs fondements archaïques et religieux.

*

Les bases rationnelles du nationalisme, elles, relèvent d'une conception du monde qui sacralise les valeurs nationales supposées inhérentes à la race, valeurs de protection qui surdéterminent et resserrent l'espace imaginaire de l'être parlant autour du célèbre triangle *travail, famille, patrie*. Les grandes figures patriotiques du passé viendront compléter le tableau harmonieux d'une solidarité organique à toute épreuve. À son point d'extrême limite, on le sait, ce nationalisme peut aboutir à l'intransigeance et à la terreur dans le cadre des régimes totalitaires (fascisme et stalinisme). Il fonctionne, au début du siècle, et notamment à travers les écrits de Lionel Groulx, sur les mêmes interdits qui unifient la famille religieuse. Il faudrait d'ailleurs noter que le nationalisme au Québec est historiquement inséparable de l'institution religieuse. Ce nationalisme se voit en tout premier lieu reposer sur un culte des morts qui se traduit par une fascination pour l'histoire des origines, dans la mesure où ces origines commandent unilatéralement l'Histoire. Il donne aux masses le père et la mère que devient à proprement parler l'histoire nationale, garante du sens de notre venue au monde. Son but essentiel est de lier la nation autour des aïeux et des exploits qu'on leur attribue. Il exige une fidélité indéfectible à la force du nombre par l'entremise de rites et de souvenirs qui se doivent, eux, de ne pas mourir. Il s'énonce dans une adaptation au Temps tel que nous le raconte l'Histoire, à l'aide d'une fiction idéalisée (voire romancée) des ancêtres qu'on nous invite à remâcher, à raviver en actes et en discours par le refoulement consacré de leurs cadavres. C'est depuis cette fidélité aux ancêtres que se fonde une hiérarchie de valeurs qui permet une identification en retrouvant les origines perdues et reconquises. C'est grâce à cette hiérarchie – dans sa mise en pratique qui censure les discordances – que passe un dire se donnant comme celui-là même de la Vie par-delà l'existence personnelle de chaque être.

L'amour des ancêtres, le véritable culte que ce nationalisme lui voue, n'est que la réplique de la relation amoureuse père / mère / enfant, où se joue la question du pourquoi et du comment de notre mise au monde. Et c'est dans la mesure où la famille ou le groupe doivent gouverner de manière ostentatoire qu'on assiste à une dénégation farouche de ce qui relève de l'autonomie des sujets. Le vocabulaire couramment employé pour traiter des individus en appelle d'ailleurs toujours à l'ordre, au dévouement, au sacrifice pour contrer désordre et individualisme.

L'élément exclu, à savoir tout ce qui viendrait fissurer la cohérence de l'ensemble dans la fiction de cette histoire nationale, se trouve marqué du signe de l'étranger, voire de l'ennemi. Cet élément exclu aide, par la négative, à consolider les tenailles du nationalisme au sein d'un peuple donné comme entité parfaitement neutre et insécable. L'histoire nationale est alors personnifiée par un chef donnant des directives à ses troupes

pour poursuivre (selon l'expression de Groulx dans son
livre, *Notre maître le Passé*) «le labeur des morts». Il
faudra éviter avant tout les désagréables tangentes qui
viendraient souligner l'arbitraire de cette fiction nationale, ses asymétries, ses divergences. La pensée
compulsive émergeant de là se protège de tout tremblement susceptible d'éroder les signifiants majeurs qui
cimentent la collectivité : famille, patrie, traditions,
morale. La pensée d'ordre et de progrès, dans son unité que figure le père protecteur, évacue ce qu'elle re-
doute : l'effusion du désir dans un corps et une langue,
la remise en cause de la communication régnante qui
encourage notre finitude spirituelle. La mise entre pa-
renthèses du *je* est ainsi la condition *sine qua non* de
l'idéal patriotique. Le redoutable *je* représente tout ce
qui viendrait défaire l'emprise des morts et de leurs
porte-parole sur les vivants. Cela, en dénouant les
corps, les espaces, les pulsions où ne se traduit plus
rien, où se fait et se dévide l'innommable du sens et de
la jouissance, où se dissémine la leçon des maîtres pour
un être momentanément sans héritage et sans dette dans
les soubresauts du souffle.

L'étendard national nous demande de nous intégrer
à une longue bataille pour faire triompher l'Esprit de la
nation. Celui-ci est évidemment donné comme hors-texte,
issu d'une langue et d'une histoire linéaire, sans imprévisible, sans sujet de l'inconscient, émanant de la terre
natale où reposent, mais «parlent» encore, ceux qu'on
suppose toujours désireux de nous soutenir par cet Esprit. Cette logique renvoie à un bloc compact (les «vertus héréditaires» symbolisées par la communion du Sol
et du Sang), faisant de l'oubli des parents et du désir de
se différencier la faute la plus impardonnable qui soit.

La vision archaïque du nationalisme impose donc l'Amour de la Loi du Père, non plus directement par la parole du Christ, mais plutôt par la voix ancestrale du Sol et du Sang qui prolonge le message christique. La communauté des Pères devient en chacun la gardienne de l'interprétation pour reproduire «cette incessante transfusion de l'âme des pères dans l'âme des fils». Église et État, croyances et convictions, ordonnent ainsi la peur qui nous lie en désamorçant le délit et le délié des langues.

*

Par rapport à cette image du Père, à sa dictée de lois et d'interdictions qui suscite un lamentable réflexe de soumission, nous avançons l'hypothèse que l'expérience littéraire ne peut se vivre, dans ses manifestations les plus novatrices, les plus réjouissantes, qu'en dérogeant aux préceptes de la régulation sociale, préceptes qui entassent les sujets au sein des familles, des groupes, des idéologies. Autrement dit, la littérature ne peut surgir dans son intensité dépaysante qu'à la condition de risquer la perte insoutenable du sens et de la face paternelle, qu'à la condition de maintenir une tension constante entre sens et non-sens. C'est ainsi qu'une déraison et une jouissance questionnent les multiples directions que prend l'existence de chacun dans ses relations à autrui.

Au cœur de la littérature québécoise, les poètes ont vécu avec une grande acuité les déchirements que viennent colmater la religion et le nationalisme. C'est dans la mesure où ils ne sont pas restés les otages consentants de cet Amour de la Loi du Père, de sa logique unifiante et réductrice, que ces hommes et ces femmes ont forcé les

remparts de l'Esprit religieux ou national; remparts toujours là pour ne pas voir ces paroles qui – par le décloisonnement, le doute, l'excès, l'angoisse – ne cessent de
s'adresser à un autre, ne cessent d'incarner une dimension autre dans la joie et la frayeur d'imaginer à l'encontre des totalités. Ce qui se déploie hors du chemin, sans
souci de durée, dans le courage et la déception, ce qui
n'évite pas les crises d'identité et de langage, ce qui secoue nos illusoires prisons familières, nos poètes les plus
sensibles nous le signalent tout près d'un pays qui se
cherche lui-même. Leur audace aura été de n'avoir pas
trouvé, de n'avoir pas confondu leur vérité avec les savoirs parvenus, pour exprimer dans une échappée superbe leur drame personnel irrésolu.

C'est à l'aube du XXᵉ siècle que la poésie va manifester l'ébranlement de la conscience jugeante au Québec. Nos poètes, à travers l'expérience de langages neufs
et inquiets, vont repousser dans le plus grand isolement
les valeurs qui scellent la connaissance du devenir humain. Ces écrivains seront amenés à quitter les formes ri-
gides qui délimitent les frontières de toute patrie (qu'elles
soient symboliques, géographiques, politiques), pour approfondir les leçons de l'exil intérieur ou extérieur. Séparation éprouvante, sans garanties, au sein d'un espace
bouleversé. À la fois pris et dépris de ce qui fait lien
dans le cadre d'une société encore fortement marquée
par son conservatisme religieux, ces solitaires vont donner à lire leurs diverses tentatives d'échapper au nivellement de la pensée autoritaire (celle de Dieu, du Père,
de l'État-nation). Tentatives toujours périlleuses à l'intérieur d'une absence du père qui semble caractériser la littérature québécoise. Absence qui pose la difficulté de défier
sa Loi murmurée par la mère, absence d'un père rendu

intouchable sous les recommandations maternelles. Ces poètes qui ont pour nom Émile Nelligan, Saint-Denys Garneau, Anne Hébert, Alain Grandbois, vont écrire les songes, les désespoirs, les morcellements qui les opposent aux évidences normalisantes de leur temps. Montrer en quoi ces individus ont répondu (souvent de manière inconsciente) aux valeurs monolithiques de leur époque, en affirmant la souveraineté de leur dénuement et de leur fièvre, voilà l'immense recherche qu'il nous restera à faire un jour.

De Nelligan à Alain Grandbois se dessinent au Québec les bases d'une modernité qui rejettera la stérile fixité des formes et des contenus protégés, dévoilant par le fait même les tabous des cercles familial, national, institutionnel; cercles qui se referment dans la conceptualisation des êtres et des choses, et que nos poètes vont tenter de dépasser, ce qui ne manquera pas d'occasionner des moments de crise. Entêtement, vulnérabilité de ces solitaires s'efforçant, dans leurs indécisions mêmes, de parer à ces deux types de régressions que sont le dogme et la psychose. Deux types de fixations qui empêchent non seulement un sujet de vivre, mais surtout de *se vivre* en assumant le sol mouvant de son savoir et de sa jouissance.

D'une conception utilitariste
de la littérature

La question nationale au Québec pose depuis plusieurs générations le difficile problème du rapport qu'entretiennent les écrivains avec les différentes manifestations et revendications à l'intérieur de la communauté. Le cadre des activités politiques a toujours posé à la pratique littéraire la question de sa fonction sociale. Je vais ici analyser une conception du travail littéraire en empruntant au texte de l'abbé Lionel Groulx, «Une action intellectuelle», mon champ d'investigation. Je ne parlerai pas du texte de Groulx en spécialiste (je ne suis ni historien ni sociologue). Ma lecture sera plus simplement celle d'un écrivain qui se trouve sollicité par les interrogations que le texte de Groulx rend visibles. J'indiquerai uniquement, pour bien camper ses allégeances historiques, sa sympathie avouée pour Mussolini et l'idéologie fasciste, son antisémitisme notoire que plusieurs s'efforcent encore de banaliser. Alors, pourquoi le nationalisme, et pourquoi un penseur du début du siècle?

Disons d'abord que c'est l'importance actuelle de la question nationale qui m'a incité, par le biais d'une expérience d'écriture et d'une redécouverte de certains auteurs québécois, à sonder ce terrain. Les conflits encore mal explorés qui me semblent avoir toujours divisé les

tenants d'une littérature nationaliste et les tenants d'une
littérature sans prérequis ou frontières d'aucune sorte,
ont engendré une pluralité d'écritures au Québec. Ces
écritures, parfois enchevêtrées, se sont jouées sur deux
registres inséparables : soit celui de la communication
(écritures narratives dont le but reste avant tout d'exprimer par la vraisemblance des situations à caractère psychologique, social, mythique ou historique), soit celui
de l'expérimentation (écritures poétiques dont le principal défi est d'ouvrir les structures de la communication pour se lancer dans l'aventureuse expérience d'un
langage encore informulé). Ces deux pôles jamais indé-
pendants l'un de l'autre se sont détachés, sous l'angle
de la critique, à l'aide d'appellations qui en marquent
avec plus ou moins de bonheur la spécificité. Qu'il
s'agisse d'écritures dites régionalistes, nationales, réalistes, engagées, ou, à l'opposé, d'écritures dites exotiques, formalistes, individualistes, métaphysiques, ces
deux types d'écritures ainsi répartis ont fait et font encore l'objet de nombreuses controverses.

C'est en regard d'une littérature québécoise diversi-
fiée et maladroitement polarisée que je voudrais maintenant analyser le texte de Groulx. Son nationalisme
ultra-conservateur, c'est là mon hypothèse, me semble
concerner la littérature québécoise dans son ensemble; et
non seulement celle de la première moitié du XXe siècle,
mais sans doute celle que nous connaissons encore
aujourd'hui. Les récentes rééditions des œuvres de cet
historien, de même qu'une réactualisation de sa pensée
chez certains intellectuels, m'ont donc incité à m'y attar-
der pour saisir de quoi il en retourne.

[Je crois qu'il n'est pas inutile d'évoquer les plus récentes recherches qui explorent les fondements esthétiques

et philosophiques de l'abbé Lionel Groulx. Contentons-nous d'indiquer le tout nouveau *Lionel Groulx et L'Appel de la race* de Pierre Hébert (éd. Fides, 1996), de même que le numéro de la revue *Voix & Images* qui lui est consacré (n° 55, automne 1993). Saluons plus particulièrement la perspicacité de l'article de Dominique Garand qui nous avait déjà donné *La Griffe du polémique* (éd. de l'Hexagone, 1989), minutieuse radioscopie du conflit littéraire opposant les régionalistes aux exotiques du début du siècle, démontage de la quête de pouvoir symbolique qui tourne autour de l'épineuse question d'une légitimité nationale. Quant à Lionel Groulx lui-même, il serait naïf de sous-estimer la place qu'il a occupée comme écrivain – «notre maître de prose», affirme Jean Marcel, «le plus professionnel de nos écrivains», surenchérit Guy Frégault – même si la plupart le reconnaissent avant tout comme un brillant historien. Rappelons que son roman, *L'Appel de la race* (1922), a été notre premier best-seller de l'édition moderne avec plus de cinq éditions à ce jour, de même qu'un grand nombre de réimpressions (allant même jusqu'à susciter une version bande dessinée en 1935). Mentionnons aussi *Les Rapaillages* (1916), recueil de récits et nouvelles qui dépassera les 60 000 exemplaires. Le roman qui devait initialement s'intituler *Le Duel des races*, puis *Le Retour des morts* ou *La Revanche des morts*, n'aura pas manqué de soulever une polémique tout en étant applaudi comme un authentique chef-d'œuvre de la littérature canadienne. Emblème de l'école régionaliste (après le premier coup d'envoi que représente *Les Rapaillages*), le livre s'attire pour commencer un concert d'éloges de la part des journaux, avant de subir de virulentes attaques qui dénoncent son incitation à la haine et à la lutte des races. L'amour inconditionnel que porte cet auteur à sa religion, à sa patrie et à sa langue en fait un modèle de rigueur morale et un exemple littéraire à suivre. Sa vision idyllique du régime français, sa fascination éblouissante d'un passé que les morts glorifient (c'est sur la tombe des siens qu'il dit recouvrer son «âme Française» – Pierre Hébert, *Lionel Groulx et L'Appel de la race, op. cit.,* p. 141) le portent à rejeter tout apport extérieur, hétérogène, qui viendrait contaminer la pureté de sa race. Tout se passe (nous le verrons dans le présent chapitre) comme si les Canadiens français formaient un noyau dur, homogène, indivisible, avec pour résultante la domination du groupe sur l'individu, la nécessaire dépendance à l'âme héréditaire, la mise en quarantaine de toute autonomie et de toute liberté qui préexisteraient au bloc uniforme de la Nation. Son racisme inavouable prend un détour «spirituel» pour le moins inusité de la part d'un prêtre catholique, c'est-à-dire d'un représentant d'une vision universelle de la totalité des êtres déclarés égaux entre eux grâce à l'amour infini du Dieu monothéiste. Le héros de son roman, Jules de Lantagnac, n'hésitera pas à citer Maurice Barrès, Edmond de Nevers ou encore le Dr Gustave Le Bon (antisémites et xénophobes notoires) à l'appui de sa thèse. On sait par ailleurs que sa revue, *L'Action française,* se voulait la version canadienne de *L'Action française* dirigée par Charles Maurras en France; revue catholique et nationaliste d'extrême droite qui ne marchandera pas ses éloges à l'Italie mussolinienne et à l'Espagne franquiste, revue condamnée par Rome dans un souci de lutter contre un nationalisme intransigeant et de favoriser la coopération internationale.

La littérature en tant que telle sera essentiellement montrée comme une arme de propagande. Notre enraciné obsédé par le poêle, le livre de messe et le cimetière, n'en démordra pas : il faut protéger et reproduire les bonnes

mœurs. Les aveux qu'ils nous faits concernant la jeunesse des années 70 dans ses *Mémoires* est sans équivoque : «Quel avenir, me suis-je dit, bien des fois, attendre
de cette jeunesse, avide d'amusements fous, paresseu-
se, rongée par une sexualité en débâcle, sexualité dont
s'accentuera la frénésie avec notre école mixte?» (tome
4, p. 359). Nous passerons par-dessus le jeu des cinq pseu-
donymes, jeu qui permet à notre homme à tout faire
d'avoir le don d'ubiquité : sous des noms d'emprunt, il
n'hésite pas à faire l'éloge de son propre roman publié
dans une maison d'édition qu'il contrôle en partie lui-
même, et ce, au sein d'une revue qu'il dirige. Opération
promotionnelle parfaitement réussie, on n'est jamais
mieux servi que par soi-même, en effet! Cet appel à la
race va permettre aux émules du maître de suivre la voie
qu'il a tracée et, au demeurant, de se corriger s'il le faut.
Intellectuel vénéré par plus d'une génération, l'abbé Lionel Groulx condensera parfaitement le dirigisme en art
qui fait de la littérature un magnifique instrument d'inspiration morale et de direction idéologique. Allons donc
voir un peu ce que notre sol natal d'antan nous aura si
généreusement légué. *Note de 1997.*]

Dans «Une action intellectuelle», une phrase vient
d'emblée situer chez Groulx tout le déroulement logique
de son argumentation : «Nous sommes à une heure périlleuse de notre durée française.» Ce qui suivra dans son article
se trouve dès lors encadré par l'imminence d'un danger
qui menace la continuité, dite «française» à l'époque, de la
collectivité québécoise. Les allusions presque «militaires»,
qui donneront un contenu au rôle et à la place de l'écrivain, se trouvent donc légitimées par le contexte réel de
domination d'une autre nation (ou plus précisément ce que
Groulx nomme l'étranger) sur la nation «française» au

Canada. Se produit alors un effet de cimentation où l'unité
nationale française doit défendre ses «droits et valeurs»
face à cette autre unité étrangère et ennemie. En ce sens,
l'écrivain se verra attribuer la tâche de garantir une toujours plus grande homogénéité de pensée et d'action afin
de se porter au secours de sa nation. Ainsi, c'est la perspective concrète d'une éventuelle domination extérieure
qui va dicter les règles à suivre aux écrivains. La pratique
de l'écrivain devra concourir à faire triompher le groupe
de la menace étrangère, en se faisant le porte-parole de la
«durée française». Il devra poursuivre, dans le cycle d'une
continuité historique, l'œuvre de ses Pères à l'intérieur de
la société qu'ils ont bâtie. Se trouvent dès lors colmatées
les brèches qui viendraient lézarder le mur de la conformité nationale et de la «durée française». L'étranger (et l'on
pourrait aussi bien dire, tout ce qui est *étrange*) se verra
donc assimilé à ce désir de dominer, de corrompre l'unité
morale et culturelle de la nation. La situation politique se
trouve donc plaquée et englobe, en se l'assimilant, tout ce
qui constitue les valeurs et les réalisations nationales.
L'écrivain, dans la conception instrumentaliste de Groulx,
devra joindre les rangs du combat national pour se faire le
promoteur d'un modèle unitaire idéal, ou alors il sera associé aux éléments qui viendraient retarder ou même nuire
à ce combat. Prisonnier d'une conception dualiste, l'écrivain n'a pas d'autre choix que celui de représenter ou de
trahir. Sa culpabilité (son devoir) se vivra alors dans le souci
de respecter une «volonté populaire» telle que définie à
l'intérieur du discours de Groulx, discours qui se donne
comme émanant naturellement de cette «volonté populaire» elle-même. Soldat-représentant-de-la-collectivité, ce
dernier pourra vite devenir le symbole de ce qui fait *Un*
dans l'image d'une nation compacte et sans autre sujet que

celui d'une conscience politique nationaliste. En s'enga-
geant exclusivement dans la lutte politique comme individu *appartenant* à son groupe, à sa nation, l'écrivain perd
sa spécificité paradoxale, lui dont l'activité pourrait être
comprise à l'intérieur d'une dimension ouverte, polymor-
phe, critique, allant même jusqu'à une remise en question
des fondements de la conscience jugeante et morale. Le
«travailleur intellectuel» se verra plutôt convié à *poursui-*
vre le travail du pouvoir ou du groupe social aspirant à ce
pouvoir. Et sans pour autant évacuer les particularités propres au domaine de la littérature, il devra constamment les
incorporer dans le discours de la propagande nationale (pour
l'époque manifestement religieuse et traditionaliste).

   Ainsi ce «grand effort littéraire» dont parle Groulx
nécessitera la collaboration de «ceux qui portent au front
l'ardeur d'une pensée, et qui veulent la dire et qui la disent avec des mots d'artistes». Ces mots d'artistes se
voient étroitement dépendants d'une «pensée» qu'il faudra imiter et faire valoir en l'enjolivant grâce aux dons
propres à l'artiste. Ramener l'expérience littéraire au
temps logique et linéaire de la pensée en vigueur, tel est
le souhait de notre penseur nationaliste. Toute la méconnaissance porte alors sur la matérialité du travail de l'écriture et sur ses effets de rupture par rapport aux consensus
en vigueur dans une communauté. Le «réveil intellectuel»
de Groulx renvoie alors à cette réflexion : «Il suffit qu'une
race ne s'affaisse pas en décadence pour que, de la conscience du danger jaillissent les meilleurs sursauts de ses
énergies.» Le vocabulaire, ici proche de la biologie
(«race», «décadence», «énergies»), installe une naturalité qui vient reconfirmer le «destin» menacé de l'ensemble national. La «conscience du danger» laisse entendre
l'urgence de se mettre au service de ce «destin» et de sa

naturalité «française», pour ne pas sombrer dans une déchéance où nous entraîne tout ce qui sonne étranger.

Vient ensuite une esquisse du portrait de l'écrivain. Celui-ci, à l'exemple «des vieux ferments héroïques [qui] se réveillent dans l'âme héréditaire», entonne l'hymne national avec sa «sensibilité[s] plus vibrante[s] et plus fine[s]» : «Les voix éparses, les inquiétudes communes se forment en écho net et puissant au fond de quelques âmes choisies, là où le sang de la race, par des mystères cachés, s'est infusé plus généreux et plus fort. Et alors nous avons les poètes, les écrivains, les penseurs des heures tragiques, ceux qui deviennent les guides et les donneurs de mots d'ordre.» Affaiblie par la menace étrangère, la nation doit répondre par les propriétés du «sang de la race» qui préfigure la supériorité de la société sur l'individu. Ces «mystères cachés [...] au fond de quelques âmes choisies» préparent une élite à se croire, avec la coopération de ses écrivains, le seul représentant de l'ensemble social.

Par un réflexe de réduction propre à toute conception du monde, le nationalisme ne peut que mettre un signe égal entre ses inquiétudes et ses voix éparses devenues communes dans cet «écho net et puissant», pour oblitérer tout ce qui recèle de l'inusité, de l'inconforme, de l'inutilisable. Il élève ainsi au rang de prophètes et de maîtres ceux qui, par servilité idéologique, prennent en main ses leçons et ses conseils pour «éduquer» le peuple. La phraséologie de Groulx sur les qualités de «guide» et de «donneurs de mots d'ordre» de l'écrivain n'est pas sans évoquer ces idéologies utilitaristes de la littérature que les extrémismes de droite et de gauche ont élaborées dans le cadre de leurs «révolutions». Si les intérêts défendus apparaissent à première vue différents, ils finissent toujours historiquement par servir des minorités qui détiennent et enseignent leur pouvoir. Le respect des hiérarchies, de la famille, de la propriété privée, des valeurs religieuses, de la morale anti-sexuelle sont finalement la grande et belle «raison» que vient justifier cette littérature nationale. L'utilitarisme, agrémenté d'héroïsme ou de lyrisme patriotique, impose aux écrivains les tâches de ressouder et consolider le tissu social. La langue, devenue sacrée, se fait le support de la Lettre des Pères qui habille la Mère Patrie de ses plus beaux tabous. La croyance littéraire donne alors l'acte d'écrire comme une activité transparente, en masquant la structure sociopolitique fragmentée dans laquelle cet acte fonctionne, en annulant la question du sujet de l'inconscient (sujet divisé par sa langue et par son sexe) au nom de cette supposée nature sociale homogène propre à la «race». La boucle est bouclée, chacun coïncide avec lui-même à l'intérieur d'une version édifiante de la «race» qui légitime sa langue et ses formes d'écritures.

Groulx s'acharne à faire l'apologie de cette «discipline de l'esprit» qui ne voit et n'entend que ce que les considérations des Pères veulent bien laisser voir et entendre. L'expérience littéraire devient une «œuvre [qui] par cela même qu'elle enferme l'âme d'une race dans des formes immortelles, atteint à la vertu d'un principe de durée. Et voilà, ce nous semble, qui indique à nos travailleurs de la pensée, l'urgence de leurs devoirs». La collusion entre le religieux et le politique s'énonce ici à l'aide d'une unité («l'âme d'une race») qui s'accroche aux règnes des valeurs («formes immortelles») en prêtant au temps un caractère figé et monolithique. Le bouleversement des formes, la libre circulation du sens cèdent le pas à l'assomption éternelle du Même.

Le texte devient une approbation glorifiante des frontières morales de la Patrie dans l'immortalité des copies
conformes à l'«âme d'une race». Il s'agit pour cela de
communiquer au temps de chacun (qui est aussi celui de
l'inconscient qui ignore le temps) le temps planifié du
«devoir». Le recul critique, qui échappe à ce temps borné que les écrivains les plus téméraires ne craignent pas
de faire éclater, se retrouve *de facto* associé au jeu de
l'ennemi étranger ou étrange.

Ramener les écrivains au temps d'une Histoire sans
histoires afin de les lier entre eux à travers lui, voilà l'opération d'urgence que s'applique à imposer la conception
utilitariste et nationaliste du phénomène littéraire. Celle-ci
enclenche une réaction compulsive qui vient excommu-
nier angoisses, vertiges, incertitudes, toute crise d'identité
étant irrémédiablement considérée comme un acte de per-
version, une souillure originelle incapable de discipline et
de grandeur. Cette contamination venue de l'extérieur ne
peut que trahir l'âme naturelle d'un peuple. Les penseurs
bienveillants de ce peuple se servent alors du mot «décadence» comme repoussoir pour mieux soutenir le préjugé
et l'ignorance, et faire du salut au drapeau une preuve d'intelligence. Leur apparente générosité envers la «foule» se
justifie par l'effet de traduction et de retransmission de «ses
aspirations». Cela donne évidemment (idolâtrie oblige) des
figures à contempler et à reproduire : «Toute action libératrice procède des penseurs à la foule. N'est-ce pas le temps
pour les ‹esprits d'en haut› de chercher ce qu'ils vont mettre dans les œuvres prochaines?» Que la foule procède des
penseurs, n'est-ce pas ce qui de tout temps permet au discours répressif de la Loi et de son bon sens de miraculeusement tenir sous la couverture du «populaire»? Je veux
dire, n'est-il pas d'une extrême importance pour la durée

de ces penseurs d'exclure tous les autres de la foule qui ne sont pas comme eux des penseurs qui croient en l'éternité des formes au sein du foyer national? Les fous, les déviants, les rêveurs qui s'éloignent d'une telle pensée ne ratent-ils pas ce Réel compact donné dans le seul «vrai temps», celui d'une Histoire sans histoires? Pour cela, la seule chose qui doit rester absolument cachée, c'est le temps historique de ce discours «naïf» dans la bouche des penseurs, temps lisse et lourd comme un bloc.

Que le politique, le social, le national soient vus comme condensant et exprimant chaque élément de l'ensemble, voilà le mythe par excellence, mythe qui fait censure et exclusion. Mais laissons Groulx clarifier sa pensée : «Il faut chercher avec ardeur et conscience si les idées qui palpitent au cerveau de la race, sont de cette qualité qui inspire les déterminations victorieuses. [...] Mais tant d'idées en ébauches et tant d'orientations imprécises appellent d'elles-mêmes une action directrice et constructive.» Cette fois-ci, la pureté des idées supposées «au cerveau de la race» (encore de la biologie sociale pour excuser les pires opérations!) ne va plus sans direction. Il faut redresser ces idées en vue de la victoire finale. L'indécidable qui désenchaîne le langage pour y laisser entendre et crier un sujet sans répondant, sans victoire, devient suspect, voire coupable. On ne doit pas laisser s'écouler les désirs, on doit leur donner des étiquettes qui les récusent afin d'orienter l'élève vers les bonnes conclusions. Pas trop de rythme, pas trop de rire, et surtout pas l'ombre d'une émancipation sexuelle qui viendrait fragmenter la langue de bois du politique. On devra s'accrocher à la paranoïa des valeurs nationales tout en dénonçant ceux qui s'en écartent. On peut ainsi sans problème fustiger «le paganisme littéraire» comme n'étant pas de chez nous. La grande famille, pour l'époque, est et restera de toute mémoire d'homme chrétienne, et les œuvres authentiques seront là pour la célébrer, la prolonger. On s'attaque alors, croyez-le ou non, à Rabelais, Montaigne, Racine, Molière, Victor Hugo. Et c'est bien là que le nationalisme en littérature nous montre sa véritable «compréhension».

Hier comme aujourd'hui, tout au long de ses changements de valeurs, l'utilitarisme nationaliste vise primordialement non pas les puissances agressives qui à l'intérieur des autres nations viendraient en dominer et exploiter une autre (ce qui, à mon sens, devrait soutenir une lutte nationale), mais bien ce qui des autres nations (ou de ce qui est tout autre au sein de la nation elle-même) dérange, déplace, questionne la bonne conscience de ceux qui orientent la nation. La parole politique dominante, en centrant la culture sur l'idéologie, vient renforcer ses murs pour qu'ils deviennent une forteresse commune résistant à l'avènement de paroles autres. On a alors droit aux *ce n'est pas de chez nous, ce n'est pas de l'art, c'est illisible, ça ne veut rien dire*.

Ainsi, loin d'être un rejet complet de la littérature française[1], la position de Groulx endosse la France, mais attention, *dans ce qu'elle a de catholique*. L'intéressant est de noter la solidarité inavouée qui se tisse entre les intérêts d'un groupe (le nationalisme et ses représentants), ses valeurs traditionnelles, ses prétentions eschatologiques, et le «Sens de l'Histoire» assimilé aux valeurs de ce groupe.

---

1. Groulx écrira : «Le bon sens, non moins qu'un très noble sentiment de fidélité française, ont fait un devoir à nos professeurs et à beaucoup d'autres de distinguer dans les influences d'outre-mer. En définitive c'est pour mieux rester Français qu'ils entendent ne pas l'être d'une certaine façon.»

C'est là qu'on peut entrevoir les rouages d'une pensée os-
sifiée, attachée aux ancêtres et à leurs reliques. C'est là
aussi que sont filtrées les luttes de libération impliquant
non seulement le renversement d'un groupe, d'une classe
ou d'une nation dominante, mais la constante remise en
cause de ce qui tue en chacun de nous les désirs, les doutes, les savoirs. Toute une logique unifiante et exclusive se
trame sous des expressions comme «soyons de chez nous
et de notre passé». Le catholicisme régnant au début de ce
siècle peut alors sans difficulté énoncer ses principes indiscutables : «Il faudra nous souvenir que l'alliance de la
pensée et de la foi est devenue chez nous un impératif catégorique de la tradition. Qui donc voudrait prétendre faire
œuvre constructive en s'isolant de la pensée des ancêtres?
[...] parce que c'est diminuer sa pensée que de la vider
de sa substance religieuse et que c'est mal servir l'Art
que de le découronner de la vérité[2].» Le ton change, la

2. Dans un article du *Devoir* (19 octobre 1981) intitulé «Religion et
morale : Laurin ménage la chèvre et le chou», Denise Robillard rap-
portant les propos du ministre de l'Éducation nous livre ce qui suit :
«Le ministre n'a pas hésité à nommer les valeurs qui balisent sa propre réflexion. En rappelant ‹le rôle historique déterminant› de la foi
chrétienne dans la transmission de notre héritage collectif, il a soutenu que ‹sa formidable force d'espérance› s'est montrée plus d'une
fois ‹la gardienne jalouse de la langue›. Il a rappelé la célèbre riposte
d'Henri Bourassa, fondateur du *Devoir*, en 1910 : ‹En ce pays, pour le
meilleur et pour le pire, le destin de l'Église et celui de la culture
française ont eu partie liée et ce pacte de fidélité ne sera pas brisé.›
Certes, a continué M. Laurin, ce destin et cette fidélité ont aujourd'hui
‹largement besoin d'être revus et nuancés› en tenant compte de l'in-
dustrialisation, du pluralisme, des institutions séculières et de la diversité ethnique de la population.» Inutile ici de dire que ce point de
vue rejoint celui de Lionel Groulx et de ses épigones, et cela, je le
répète, par ce qui constitue la pierre d'assise de toute fixation nationaliste ou religieuse : la sacralisation de la langue.

supposée «nature» des aspirations nationales laisse deviner, à travers ces recommandations d'usage, des idées et
des forces opposées qui sont un *dehors* inattendu au cœur
même de la conscience de chaque interpellé. Le raisonnable «bon sens», on ne le sait que trop maintenant, est toujours celui du pouvoir, qu'il soit ou non d'allégeance
nationaliste; et tout pouvoir doit tenter de neutraliser ce
qui viendrait renverser son discours et tout discours qui se
soutient de la Raison, du Bon Sens et de l'Histoire. Le
monde, en toute innocence et en toute harmonie, se voit
pressé de communier à la même table. Et cette allusion
religieuse souligne avec insistance le point aveugle sur
lequel butent les communes mesures : la mort exorcisée
par le contingentement des pertes et des dépenses sans retour; les influences «néfastes» conjurées au profit de l'ac-
cumulation, de la mauvaise conscience, de la faute et de la
promesse d'un bonheur différé (qu'il soit de l'ordre d'une
société idéale ou du paradis des croyants ne change rien à
l'affaire). Reste le rachat de ces pertes et dépenses injusti-
fiables, et de la mort qui trouble tous les projets dans l'impossible continuité de l'être.

Mère Patrie, Mère Histoire, Mère Représentation, elle
nous garde d'apercevoir les bords, de voir surgir la faille,
en laissant chanter l'emportement, le typhon, la spirale in-
finie[3]... Elle nous replâtre, elle nous moule dans ses vête-
ments faits d'idéaux, de certitudes, de comparaisons, de

---

3. Ce lieu du féminin est celui de l'ambivalence même. Lieu de la
mère, de la séparation, où celle-ci intercède pour le père auprès de
l'enfant, le prépare culturellement à se trouver une place qui a été
et sera la sienne; lieu du maternel, du fluide, de l'indistinct par
lequel rythme et chant bercent le corps jouissif de l'enfant. C'est
dans l'entre-deux de cette ambivalence que nous nous débattons
tous.

valeurs morales, elle nous dit de ne pas dire ce qui se dit sans ou sous son dire, elle est comme ça avec le calendrier dans la main droite et la grammaire dans la main gauche. Cette littérature qui «sera française, résolument française» nous assure Groulx, c'est la robe noire de sa mère en deuil qu'il porte et qui lui en donne la conviction profonde, c'est l'infaisable deuil de cette mère en lui qui la supporte.

Les débats sur une littérature authentiquement québécoise, une littérature vraie, une littérature du sol et du sang, ne servent qu'à purger en douce les dérogations, les digressions, les inconséquences d'un ailleurs incomparable, mal digéré par cette Mère protectrice. C'est toujours la même rengaine : avez-vous un nom? Prouvez-nous-le. Racontez-vous indéfiniment en vous enfermant dans ce nom. Possédez votre nom avec son plancher, son plafond, son toit, sa maison, habitez-le et ne le quittez que pour rencontrer ou habiter d'autres noms, d'autres semblables demeures. À l'époque de Groulx, c'est le problème de l'influence française, de ceux qui disent oui ou de ceux qui disent non à la France au nom de l'intégrité culturelle du pays. Le «juste milieu» décide Groulx. Même ces «barbares» de professeurs qui réclament quelque chose comme une identité retrouvée sur une terre bien à nous, dans une parlure bien à nous, le font «au nom de la culture originelle et [c'est] pour la sauvegarder, qu'ils réclament le droit de prononcer certaines proscriptions». Le juste milieu, en effet, mais avec les proscriptions de convenance, proscriptions qui en reviennent toujours, quoi qu'on fasse, à la question de la lisibilité.

Écrivez dans la même langue toutes les histoires, toutes les curiosités, tous les sentiments que vous voudrez, mais *dans la même langue*. Ne laissez surtout pas passer quelque chose de l'ordre de l'inconscient, du corps, des

fantasmes, si vous voulez survivre dans cette langue éternelle, langue pleine et fermée, impérative, rassurante pour
les lignes à suivre et les identités à verrouiller. Vous n'êtes
plus seul, vous êtes avec le souvenir immaculé de votre
langue. Vous pouvez mesurer les jours, les années, les siècles, vous approprier la preuve de votre place qui installe
le réel, ses obligations, ses interdictions, sa lumière symbolique. Plutôt solide que légère, plutôt évidente qu'obs-
cure, plutôt explicative que délirante. Pas de commune
mesure sans cela, pas de monde pour ainsi dire. Oui, d'accord, mais pour nous donner quoi, à chacun, au bout du
compte? Et là, pour un catholique d'alors, c'est le coupe-
ret de la censure, de la haine vis-à-vis de «certains Métèques – si illustres soient-ils [...] élément inassimilable» pour
un peuple. Ces Métèques «dieux de la jeunesse» (et on se
garde bien de les nommer), il y aura des professeurs, des
maîtres du juste milieu pour n'en vouloir pas plus que
Groulx «parce qu'ils veulent protéger contre les brouillards
germaniques ou slaves, la clarté de nos cerveaux latins[4]».
Ou encore, sans équivoque : «Pour le dire très nettement,
nous n'avons que faire d'œuvres et d'esthétiques qui ne
servent point la culture française et qui, par cela même ne

---

4. Tout en flattant leur enseignement, Groulx écrit : «Il en est d'un
peuple comme de tout être vivant : celui-là s'inocule un principe de
mort qui introduit dans sa vie un élément inassimilable.» Dans le
discours nationaliste, il y va du peuple comme d'un être vivant, entité homogène absolue. L'individu, de par ses tâches et devoirs, appartient à cette unité socio-organique. Cette dernière préexiste à tout
individu, elle leur indique la voie de la discipline et du salut. C'est
la dépendance qui vient définir et restreindre les autonomies, ce sont
les nécessités rattachées à la Cause qui viennent contingenter ou
abolir les libertés. La Mère-Patrie est alors ce lieu mystique de la
Grande Fusion. En elle vient se soumettre par identification chacun
des citoyens-membres qu'elle infantilise.

sont point de l'art ni n'en peuvent créer.» À son paroxysme, aboutissement obligé de toute intransigeance nationaliste : l'art dégénéré, la culture de la race, ceci n'est plus de l'art, ceci est la destination obligée de l'art, le bien, le mal, la chute, la rédemption, pardonnez-leur de vous avoir offensé...

Ce que clame tout haut l'abbé Groulx, moi, je le sens murmurer tout bas aujourd'hui, et les proclamations d'engagements, d'athéismes, de recherches formelles, ne sont pas des remèdes irrémédiables à cela. Demeure, indéfectible, le rapetissement idéologique qui nous transmet le ce-qui-va-de-soi du temps, les déclarations tapageuses pour bloquer l'écoute et noyer l'être dans l'expression répétée du dogme. Parce que le combat maintenant, paraît-il, ne devrait se faire que dans la limite des libertés permises.

Que vous soyez d'une obédience ou d'une autre, c'est fatalement une affaire de ciment, de clôture, pour se protéger de la nuit, des battements sans nom, des fissures, des transfusions ne vous retournant plus votre image. Il faut que l'âme du groupe ne se détache pas de la mythologie nationale, il faut que l'acte, le jeu, le rêve se traduisent et s'appliquent adéquatement à la marche à suivre. Ne touchez pas aux non-dits de votre langue, à la santé bienséante de ses livres qui vous connaissent mieux que vous-même. Parce que la pensée respectable des groupes, du moins c'est ce qu'on vous dit, est nécessairement supérieure à la pensée non sanctionnée des individus. Alors il faut plaindre et prier pour ces énergumènes qui se jettent dans une parole jamais finie, une parole libre des attaches ancestrales, une parole qui désencombre l'entendement roulé dans l'optimisme, l'honneur, les convictions. Si vous communiquez l'incommunicable par le geste, l'instant, ses convulsions – avec une mémoire déconcertante, une mémoire qui ébranle le réalisme banal des souvenirs et laisse partir la main dans les lettres – on vous prouvera que ce n'est pas vrai, qu'il vous faudra tôt ou tard cacher cet espace indéterminé et ouvert qui est l'envers de tout paradis et de tout enfer. On vous permettra une certaine fantaisie, une certaine allure si vous demeurez dans la mémoire et le souvenir, c'est-à-dire sans le souvenir de cette mémoire rationalisante qui vous asservit et vous aspire. La subtilité de la permissivité nationaliste est là pour mieux vous imposer en douce les convenances de son cathéchisme. Il y aura «l'exotisme» acceptable, les «influences nécessaires», mais pour «rapatrier nos esprits». Alors on est sauf, parce que la littérature «ne peut être chez nous un principe de force ou d'immortalité, que par l'expression de notre vie, de notre pensée, de notre âme à nous, notre âme canadienne-française». S'emparer du manque-à-être intrinsèque au langage, transférer sur l'adversaire les symptômes de ses souffrances, rapatrier dans l'épaisseur d'un passé étanche ce présent sans place, continuellement déplacé, et on en aura terminé avec l'insensé, le rebelle, le déchet, le non-identique qui ne donne sa langue à personne. Ne craignez rien, on finira bien par vous offrir des Maîtres pour vous assurer des plus-tard prévus d'avance, dans le prérequis des placements solides et des opérations policières. La grandeur, les titres, les rangs nous préparent les plus beaux triomphes sur ce qui passe et dévoile le semblant dont la Règle a besoin pour durer et nous faire cuire.

Groulx nous concédera une littérature «bravement régionaliste», tout en demeurant le défenseur d'une «Mecque littéraire» française. Quelle importance si tout ça s'immobilise comme le reste dans des valeurs approuvées sur une toile de fond «catholique et française»? Remplacez le «catholique et française» par les nouvelles superstitions modernes, plus près des consignes littéraires et des mimétismes d'aujourd'hui, vous aurez la même peur de sortir des bonnes vieilles coutumes méritantes qui nous enveloppent et qui nous bercent, chloroformes habituels pour nous rendre insensible à la multiplicité prodigieuse des messages, nous couler gentiment dans la norme et le calme de sa violence. Famille lisible, oui, en effet, mais avec la singularité du souffle en moins, avec les arguments de celui qui sait tout de même se retenir quand il croise un sujet passionné dont la délinquance magistrale finit par choquer. Même mort, le Dieu de l'Alliance continue à nous braquer son miroir sous les yeux, à nous graver son jeu de ressentiments et de vengeances dans les fibres. La grande réconciliation des hommes domestiqués autour du corps mort de la Lettre, voilà.

À côté de cela, à côté d'un passé ou d'un avenir officiel, le désastre du rythme, de la couleur; l'inimaginable de la béance qui vous recompose, vous laisse indéfini, engloutit prédicateurs et guérisseurs avec leurs mains tendues et leurs regards compréhensifs, toujours déjà compréhensifs de ce que vous n'avez pas encore compris, mais ça viendra, ne vous en faites pas. L'exemple, le convenable, le général qui sont la preuve de la force, et à côté de ça, la faiblesse d'un être incapable d'adhérer à une doctrine, cette folie de sa langue qui échappe au lieu de l'interdiction et se renverse en une floraison d'énergie dissolvante. Cette folie instantanée de la laisser courir, tout l'enthousiasme de cette folie de l'émotion, de son tremblement admirable sur les parois de votre langue qui se déplie. Cette folie de mettre la libération au pluriel, de l'écrire avec un *s* comme dans souffle, son, sexe, savoir, saveur, silence, sortir. Heureusement il y a la muraille dans le cerveau et les membres, il y a le code, l'opinion, le stéréotype, le but atteint ou à atteindre, moins le bonheur, moins tout ce qui vibre et ne se commande pas.

Dans la théorie, la réflexion, on ne s'emporte pas. Je m'excuse, vous m'excusez, vous me comprenez tout de même, vous m'aimez dans ce tout de même, vous finirez bien par m'accrocher quelque part, me faire ma fiche avec mon nom, mon sexe, mon code génétique, mon état civil, mes occupations, mes maladies, mes fantaisies, mon manque de réalisme, ma si piètre utilité. *Je* ne sera plus un autre, *je* sera ce que vous saurez. Vous attendrez, nous attendrons tout comme Groulx «notre grande histoire définitive, le panthéon vaste et bien aéré, où, dans leur pleine lumière, pourront loger toutes les gloires», en nous disant, en vous disant tout bas, pour sauver les apparences, que «la vie du petit peuple, le vrai créateur de la patrie» est finalement la belle et noble cause de cette grande Histoire. Et ce petit peuple toujours un peu en retard, toujours un peu lent pour apprendre à apprécier à leur juste mesure les «gloires» de votre panthéon, vous lui expliquerez pourquoi il ne peut pas aussi rapidement les comprendre. Vous lui ferez croire que votre langage en soi dit suffisamment ce que chacun de nous voudrait dire, élévation d'un discours sans lumière, sans chaleur, où l'accent humain de l'âme ne peut s'exprimer, où les manigances de la société nous protègent de la découverte des mensonges que nous avons adoptés. Puis, lorsqu'il aura compris, vous lui demanderez de consentir à votre répulsion à aimer tous ceux qui ne vous ressemblent pas. Les retardataires qui diront non, qui ne seront plus de ce «petit peuple» et qui réclameront un peuple qui ne soit plus petit, sans l'aide de votre compréhension et sans le

prestige colossal de votre panthéon, vous les ferez métèques, étrangers, parasites, minoritaires, incultes, en voie
de rééducation. Et c'est le texte de Groulx sur votre langue, avec tout le faux libéralisme de convenance, qui mar-
tèlera «qu'une originalité vigoureuse pourrait encore se
mouvoir à l'aise dans ce monde de gloire où vivaient nos
aïeux». Vous aviserez les poètes que «notre poésie en *puissance* dépasse toujours infiniment notre poésie en *acte*».
Cette poésie en acte un peu trop proche du sentir et de la
vie, mettez-la dans vos valises et sortez-la lorsqu'on vous
la demandera. Si ça ne vient pas, attendez, attendez jusqu'à la victoire finale, parce que là tout va s'arranger. Nous
allons gagner, vous allez gagner parce que vous serez resté
fidèle à vos valises qu'on n'ouvre pas.

Le texte nationaliste, avec son obsession passéiste sur
fond de nostalgie religieuse, comprime toutes les déli-
vrances en vue de la grande délivrance commune moins,
un à un, chaque sujet qui en compose le nombre. Une
telle façon d'exposer les problèmes, une telle façon de
les vider dans du général, de l'insensible, ne vous en faites pas, c'est très réel, et ça ne se supporte à vrai dire que
de ça, du réel; un réel clos, accrédité, perpétué dans les
discours, les jugements, les répudiations, les privilèges,
les renvois d'ascenseur, pour s'en remettre à ce qui précède «en puissance». La générosité exsangue des recet-
tes ne manque pas : «Rien ne serait plus facile que
d'allonger ici, toute une liste de thèmes où nos jeunes
romanciers n'auraient qu'à choisir», puisque «le temps
n'est plus à la bohème romantique ni au dilettantisme
patricien[5]». Symptôme d'une peur de la fente, du vide,

---

5. Cette idée d'ériger une liste de thèmes propres à assurer un caractère «populaire» à l'écriture ne se retrouve pas seulement chez

du plaisir et de la crainte qu'ils procurent. La littérature devient un endroit où choisir son petit décor familier pour se débarrasser de la majesté de l'errance, de l'intimité contemplative, des tressaillements de l'expérience qui touche au maternel, à la ligne du temps, avec une soif constante de connaître.

Encore une fois Lionel Groulx utilise le coup du bon sens (ou, si vous aimez mieux, du sens qui va dans celui de son pouvoir) pour niveler, rabattre l'un sur l'autre le débraillé, le pas-assez-cultivé bohème et romantique, et le trop-cultivé dilettante et patricien. Mais pas assez ou trop cultivé pour qui? Et là je vise cette part en nous de réflexes conditionnés, de rétentions érudites, de rigidité absolument crédible, et où nous sommes passés maître dans l'art de contourner le douloureux et l'obscur, écartant aussitôt de notre vue ce qui nous tracasse et nous déborde. Parce que ça nous traverse tous sans exception, cette histoire d'exclusion, de censure, de refoulement. Groulx n'en est qu'un symptôme très réussi. La plus remarquable bêtise serait de se croire de l'autre bord, de l'autre camp, sans voir que son contraire est aussi en chacun de nous, disposé aux pires engourdissements de l'intelligence et du goût. Qui donc ne pourrait affirmer: «Et

---

Groulx ou dans les préceptes du réalisme socialiste. Dernièrement, durant le Salon du livre de Montréal 1980, des éditeurs, un libraire et le président de l'Union des écrivains québécois formant table ronde (entrevue publiée dans un cahier spécial du *Devoir*) ont exprimé le souhait de voir s'établir une série de sujets à confier aux auteurs pour qu'ils produisent et rendent plus accessible une littérature devenue invendable. On alla même jusqu'à suggérer une remise de bourses pour encourager ceux qui accepteraient de se plier aux exigences des nouvelles règles thématiques! Comme quoi nous n'en aurons pas de sitôt fini avec le dirigisme dans les lettres!

peut-être est-ce le devoir de tous les travailleurs intellectuels de mettre au service de l'avenir, avec la conscience
et la force d'une pensée commune, une solidarité d'ef-
forts»? Qui donc ne s'accroche pas corps et âme à cet
avenir garant de tout un passé à obtenir constamment
dans le sens d'une vie vouée au culte de l'objet interdit?
Groulx-symptôme ne vient blanchir personne du sens et
non-sens vivants des pratiques de langage. La pureté, la
voie tracée droite que fonde l'interdit est simultanément
celle qui permet le cri de révolte pour la transgresser.
Un refus toujours actif, sulfureux, insaisissable, inouï...

L'ennui serait de s'identifier complètement à une interprétation canonique de l'Histoire, en faire l'ultime ju-
ridiction de son être; ou encore de tout comprimer dans
le prévu d'un plan, d'une présomption, d'un portrait, d'une
époque où même l'imaginaire se trouve doté de ses di-
recteurs attitrés. Le nationalisme utilitariste est un de
ceux-là. Et la difficulté est, a été, sera d'être relevé de la
fonction qu'il nous assigne dans la «pensée commune»,
dans l'adhésion à ses jugements nous indiquant ce que
doit être la nation aseptisée en nous. Mais la blessure reste ouverte pour éviter que le sujet ne s'endorme. L'étin-
celle du risque déjoue la froide platitude du grand retour
à l'Un lorsque tout à coup vous êtes deux, le réel et vous.
Et le risque, obstinément, vous invite à l'exploration, au
changement, à la créativité. Votre souffle se succède encore une fois. Vous continuez à exhaler, à brûler, avant
qu'un jour la bouche et les yeux ne restent figés à jamais,
et que la clarté du silence ne vous avale d'un seul trait,
comme un souffle, inexorablement.

Les devoirs de l'écrivain

Je vais maintenant tenter de cerner à travers le texte «Les écrivains et la révolution», les prérequis, les sous-entendus, les inconséquences qui renvoient au nationalisme de Lionel Groulx. Je sais, évidemment, toutes les résistances que soulève ce rapprochement entre deux nationalismes (l'un ultra conservateur, l'autre supposément progressiste) qui semblent, à première vue, avoir consommé la séparation. C'est sur la base d'une même conception de la littérature que je tenterai de montrer comment la «séparation» est loin d'être opérée, et qu'elle nous relie à une communauté d'esprit où le changement de vocabulaire ne modifie en rien la question de fond : celle d'une définition du sujet de la pratique de l'écriture. Dans la version nationaliste du phénomène littéraire, ce sujet écrivain se voit expressément rattaché à un ensemble de valeurs qui renvoie à une vision unitaire, substantialiste, logocentrique et finalement téléologique de l'être. Qu'il soit fait mention ou non d'écritures «engagées», «de témoignages», «de recherche», etc., c'est toujours pour ramener l'écrivain à la plénitude d'un sujet omniscient qui se doit d'hériter, maîtriser, ressembler, afin que nous puissions supprimer l'occasion du pari et nous rassembler à travers la transparence de sa «parole». Le nationalisme lui demande de combattre la discontinuité (qu'il associe à la corruption), de refléter une position qui serait idéalement celle de tous; tous, on s'en doute, signifiant ici la Nation. Il lui prête un rôle de témoin, d'éclaireur, d'avant-garde, voire de prophète. C'est alors l'image nationale d'un sens de l'Histoire qui vient délimiter la valeur positive ou négative de son travail, selon que celui-ci se situe à l'intérieur ou à l'extérieur de la Voie commandée par l'Histoire.

Même soutenu par des bases prétendument «scientifiques», l'a priori d'une telle conception qui donne raison à une vision monolithique et totalisante de l'histoire n'en demeure pas moins porteur d'une métaphysique de l'être et du langage. Métaphysique recentrant le langage sous la dictée consciente d'un individu indivis, préexistant aux procès de langue et d'écriture de par son entendement sans histoire. Individu qui attendrait qu'un sens se confirme pour ensuite y investir toute sa jouissance sublimée en s'imaginant prendre la parole au nom de l'Histoire. Contrairement à cette approche, je soutiendrai que l'individu est un être de langage, qu'il n'a d'autre demeure comme être-au-monde que celle de la lettre, et que cette lettre n'est pas innocente, qu'elle reste habile à lui faire don de ses tromperies les plus complaisantes, et ce, à même ses frustrations fétichisées.

L'être humain, de par son langage, se voit divisé, en mouvement, dans une dissymétrie active face au réel. Son identité, comme potentiel de mutations, maintient le contact avec la multiplicité des possibles. Elle porte en elle en pure puissance le plus grand bien et le plus grand mal, même si cela lui demeure inconnu. C'est de sa propre insuffisance que l'être se trouve à parler et à vivre. Sa dimension historique ne se situe pas seulement dans la conscience qu'il possède du va-et-vient des événements et des idées de son époque (conscience le plus souvent intéressée, partiale, schématique), mais surtout dans la prise en charge d'une variété d'expériences venues questionner et enrichir un héritage historique. L'indépendance de sa révolte n'exclut en rien le besoin familial d'autocensure, l'éventualité sournoise des régressions. En un certain sens, le travail de l'écrivain combat même celui du politicien, orateur sans culture qui ne prend habituellement la parole que pour nous inviter à choisir une des nombreuses manières qui s'offrent à nous de devenir des imbéciles informés. Pour l'écrivain, il s'agit de se déprendre de ses fantômes pour repenser le processus dialectique qui unit dans une tension constante le sujet de l'écriture et l'Histoire à laquelle il participe, de rester toujours sur la brèche en assumant les brûlures de l'être, d'actualiser une démarche indocile qui ne sacrifie rien de son originalité pour mettre en acte la présence d'un manque nécessaire à la rencontre, ce quelque chose qu'on n'était pas et qu'on devient.

Que cette position toujours mobile cadre mal avec les motivations pratiques d'une communauté ou d'un groupe se revendiquant d'une Histoire sans sujet, c'est exactement ce à quoi je veux en venir. L'écrivain affirme, envers et contre tous, mais avec tous (c'est là son intolérable pari d'écriture), ce *je* interminé et interminable que toutes les censures idéologiques doivent faire taire pour rendre son aventure conforme aux barèmes de la communication en vigueur. Un *je* en alerte, sexué, déraisonnable, qui ne se contente pas de pencher d'un côté ou de l'autre de la clôture historique, mais qui la montre comme présence / absence simultanée de chacun à l'univers qui le façonne. Un *je* dérogeant aux pratiques de consommation courante et dérangeant par là les bases mêmes de nos

institutions modernes, un *je* coupable de ne pas leur appartenir, le *je* de l'interdit et de sa transgression. Un *je*
hors foyer, hors communauté, et qui pourtant appartient à
ce foyer, à cette communauté. Un *je* qui invite les autres
je à se défaire inlassablement de ce mur d'amour / haine
qui pétrifie à chaque fois la pensée par une justification
ontologique du Sens – le bon, le propre, l'incontestable –
celui du Père-Mère, de la Patrie, de la Raison. Un *je* qui
interroge ce qui se dit dans le dire, un *je* qui descend en
lui-même et accède, l'espace d'un éclair, à l'épreuve de
la déchirure. Impardonnable expérience des limites que
le nationalisme ne peut se permettre de laisser surgir. On
condamne ou neutralise, les méthodes sont aussi diverses
qu'efficaces. Voyons donc un peu de quoi il en retourne
sous la plume de Michèle Lalonde.

Je vais m'astreindre à indiquer ce qui, dans son texte
réflexif, adhère, avec ses particularités bien sûr, à la même
conception utilitariste de la littérature que défend explicitement l'abbé Groulx. Que ce nationalisme ne soit ni
conservateur ni religieux (du moins pas de façon identique), qu'il se nourrisse de «revendications», de «libérations» ou de «colères» n'empêche en rien le retour en force
d'un culte de l'Histoire qui, nous le verrons, vient aussitôt éradiquer ses prétentions révolutionnaires.

La pensée du devoir – service obligatoire et toujours
volontaire – ne peut que juger indigne la parole d'un sujet qui ne s'en remet à aucune instance supérieure. Comme figure de l'Idéal du Moi, elle s'enveloppe dans la
chaleur maternelle d'une raison collective pour mieux di-
riger ses espoirs vers un au-delà laïque de bonne entente
universelle. Et pourtant, ce n'est que lorsqu'un sujet vivant se défait de ses réflexes conditionnés, lorsqu'il sus-
pend en lui tout tribunal venant falsifier le territoire

inachevé de son être, qu'il peut se joindre à un ensemble et mesurer les enjeux des luttes jamais indépendantes des prodigieuses singularités qui les portent. Je dis que dans tout regroupement quelque chose nous dépasse, quelque chose d'inconcevable, quelque chose du nom propre constamment en éveil; une œuvre de recomposition quotidienne, faite de dépenses, de mouvances, d'érosions. J'aborde ici une terre sans frontières, vertigineuse, inestimable. Je brise ici un sentiment immédiat et naïf de dépendance à l'autorité, et je le sais parce que j'en ai fait moi-même l'expérience à mes risques et périls. Mais n'est-ce pas là la condition première pour sauvegarder l'intelligence rebelle de la conscience? J'affirme que l'écrivain n'a pas à être l'historien de son temps, le prisonnier de son temps. J'aimerais que la littérature pousse la pensée à cet extrême horizon où elle se retourne, seule, impossible. Je voudrais, sans intercession aucune, qu'elle interroge le monde jusqu'à ne plus parler, qu'elle continue à s'écrire à cet endroit précis de nous-même où nous maintenons le plus secret silence. C'est de ce lieu intenable que j'aborderai les écrivains et la révolution.

Et ce qui me frappe en tout premier lieu, c'est le comment faire de la «réponse» à ce «Québec secoué par les récents événements d'octobre 70». Un comment faire qui suit le fil de ces phrases : «La collectivité québécoise patauge en effet dans l'ordre événementiel depuis au moins 1837. Une révolution, de quelque nature qu'elle soit consisterait précisément à l'en sortir pour la faire accéder à l'ordre historique. À l'histoire.» Si en soi le souci d'une mémoire collective à retrouver peut faciliter une meilleure compréhension de la trame des événements, il soutient par contre une volonté de fermeture et de conformité qui va rapidement se préciser dans le texte de

Michèle Lalonde. En regard d'une conscience historique défaillante, la solution englobante qu'on lui prête nous fait immédiatement retomber dans le nationalisme compact de la «durée française» : série de valeurs qui, qu'elles soient modernes ou non, exigent immanquablement l'unanimité aux dépens de toute diffraction créatrice.

Aucun groupe, aucune nation n'a la compétence qu'il faut pour s'emparer et traduire le jeu raffiné des motifs de la vie elle-même, et à vrai dire le savoir des groupes aurait tendance à favoriser un état assez inerte, une croyance souterraine au service de l'instinct de conservation, et qui se cristallise autour du noyau narcissique de ses adhérents. Seul le singulier a une conscience sensible apte à penser et dépenser le vivant dans son instabilité historique. Le mythe historiciste, à l'intérieur de sa continuité logique aplanissante, prend alors la forme d'un souhait : saisir des événements qui pourraient enfin être «vécus par nous en continuité et perçus par cette collectivité non comme des manifestations isolées, des épiphénomènes de sa condition fondamentalement inchangée mais comme des moments d'un processus organique de transformation, d'un devenir». Ainsi cette «révolution véritable», dans sa linéarité qui semble oublier la pluralité et la complexité des actes transformateurs, se trouve inscrite – grâce à la continuité de ce processus organique – dans un «ordre historique» fondant sa propre légitimité. Elle amène l'auteur à soutenir une vision idéaliste du travail de la langue, travail qui viserait essentiellement chez lui à nous reconnaître en excluant par convention ce que l'on méconnaît, et où la langue semble miraculeusement émerger du réel sans la moindre médiation. L'on débouche sur un Sens de l'Histoire consubstantiel au Sol et au Sang, qui viendra décrier toute forme de dispersion, de morcellement, au profit d'une essence vraie, d'une nature indépassable se supportant, cela va de soi, de la notion de «populaire».

Indivisible dans ses qualités acceptées, ce «populaire» aura comme fonction de rassurer tout être parlant sur son devenir confondu avec et solidifié par le devenir collectif. La «véritable révolution [...] elle ne saurait se produire sans que le corps social ne soit prêt à se percevoir comme un ensemble cohérent et suffisamment informé de ses valeurs et de son orientation pour n'être pas, comme c'est présentement le cas, complètement déboussolé et plongé dans l'incrédulité, l'incompréhension ou l'indécision pathologique chaque fois qu'un quelconque séisme se produit». Sous prétexte d'une situation désarmante qui mine toute nouvelle identité (à commencer par celle des individus eux-mêmes), l'auteur se laisse encore une fois berner par un retour constant aux prérogatives naturalisées de sa communauté maternante. Les assises qu'on lui donne sont celles de la cohérence, de l'unité pour contrer incrédulité, incompréhension, indécision pathologique. Cette approche circulaire, omnivoyante, balance ostensiblement entre le «normal» de la prise de conscience unifiante et le «pathologique» de sa mise en échec intégrale. Dualisme d'un simplisme inavouable. Qu'ainsi polarisée la tension du normal et du pathologique puisse s'estomper par la prise en mains de notre devenir collectif, voilà bien une des illusions politiques les plus tenaces du monde. Elle a même une appellation célèbre qui traverse les âges : le *messianisme*. Foi illimitée dans le Progrès, sorte d'eschatologie sécularisée dans sa volonté d'établir le royaume de la grande fraternité humaine ici-bas, cette illusion proclame une Humanité enfin libérée de ses souffrances. Or, très curieusement, une telle option «divine» ne débouche que sur de l'Ordre. Un Ordre qui, ancien comme nouveau, impose un repos forcé à la réflexion, une fidélité aveugle à son Amour de la Loi, un asservissement librement consenti à l'image spéculaire du Maître qui ordonne.

Devant une telle soumission à l'unicité – que n'interrompt pas un seul instant la possibilité que la création invente là une place atypique – je ne peux que manifester le caractère «illogique» de mon détachement. En désaccord avec la rectification du monde de la militante nationaliste, je dis qu'il n'y a pas d'un côté la cohérence et de l'autre le désordre, d'un côté le normal (ou la prise de conscience nationale) et de l'autre le pathologique (l'indécis, l'incrédule, l'incompréhensible). L'un ne bouge pas sans l'autre. C'est affreux, difficile, parfois désespérant, mais c'est ça le devenir sans fin, sans aboutissement, sans paradis. Regardez le développement des sociétés au XXe siècle : c'est à partir de telles prémisses indénouables que se construit, au cœur même d'un messianisme renouvelé, la conception utilitariste de la littérature. Que notre situation effectivement dominée par les exploitations et oppressions les plus visibles ou les plus subtiles nous engage à la lutte, n'exclut pas mais bien au contraire appelle la question de ce qu'il en est, de toute part, en et hors lutte, des événements qui se moquent de tout cramponnement dans la durée, qui défigurent toute image sublimée de l'Homme. C'est ça, cette réversibilité, ces avancées, ces reculs en dehors des priorités et des consensus, que le nationalisme récupère pour les déposer avec dévotion entre les mains bénies de la Nation.

À l'extérieur de ses rangs, valeurs, énoncés, tout est renvoyé dans l'«inconscient collectif» du membre récalcitrant qu'un médecin reçu de l'ordre nationaliste se fera un devoir de soulager par l'imposition de son modèle. Et si le modèle ne guérit pas le malade, c'est la piqûre de la mauvaise conscience qu'on lui inocule au creux des veines. Aucune politique, je le répète encore une fois, ne nous sauve de l'abus des réglementations. C'est dans le réglementé qu'il faut agir sans permission, qu'il faut assumer courageusement notre refus de l'incontournable retour du Même avec sa parade de promesses et de vérités éternelles. Ici, toutes les prescriptions (morales, idéologiques, culturelles) devraient céder le pas à des alternatives qui ne les contiennent pas. L'intellectuel nationaliste aurait tendance à s'enrôler pour la Cause en lui signant un chèque en blanc. Le ce-qui-va-de-soi du Devenir national est alors émis dans une emphase qui tient du «populaire» et du sacré, là où le «populaire» et le sacré se rencontrent dans l'apothéose d'un Destin national.

Après avoir déploré la non-réalisation de cette «auto-perception collective» qui fait défaut au Québec, Michèle Lalonde définit les tâches de l'écrivain comme suit : « [...] nous autres, écrivains québécois, serions occupés de Montréal à Matane et de Hull à Natashquan à servir un peu partout d'antennes et à mettre fébrilement en mots les manifestations de la pensée, de la sensibilité, bref de la vie québécoise; nous serions tous occupés à les rendre signifiantes pour cette collectivité *d'abord* (et non pour la communauté francophone *at large*...), à réinventer s'il le faut les genres littéraires ou les façons de dire adaptées à son entendement, à conjuguer les niveaux de langage, bref à faire œuvre créatrice de parole pour capter et retransmettre véritablement l'expression populaire. Car à quoi peut bien servir une littérature nationale sinon à mettre un peuple en communication avec lui-même?» Cette déclaration rejoint explicitement la conception littéraire de Lionel Groulx : forclusion du sujet et des

minorités culturelles, déification du collectif fondé en nature (Groulx, lui, parle plus directement de «mission»)
de par son caractère d'ensemble normatif, le populaire
étant montré comme ce qui commande la règle. L'effet
réaliste de la première phrase («de Montréal à Matane et
de Hull à Natashquan») vient légitimer, tout comme chez
Groulx, le rôle de retransmetteur décerné à l'écrivain.
Spécialiste du resserrement des liens, il devra faire passer dans la plus artistique neutralité les dires et agisse-
ments du peuple. La forme se dessine ici comme simple
support de contenus : innocence des formes, responsabi-
lité des contenus!

Le «mettre fébrilement en mots les manifestations de
la pensée, de la sensibilité, bref de la vie québécoise» se lit
comme l'écho de ceux «qui portent au front l'ardeur d'une
pensée, et qui veulent la dire et qui la disent avec des mots
d'artistes» chez Lionel Groulx. Ces poètes, écrivains, penseurs «qui deviennent les guides et les donneurs de mots
d'ordre» (Groulx) se transforment chez Lalonde en «antennes», en miroirs renvoyant à la vie québécoise les images que cette vie se fait spontanément d'elle-même; miroir
qui a par contre, c'est curieux, la propriété de «rendre signifiantes» les manifestations de cette vie québécoise. La
neutralité des «antennes» qui se dressent pour intercepter
le courant populaire se change soudainement, et sans qu'on
sache trop pourquoi, en *signes*. Si le vocabulaire de Lalonde est moins religieux et non raciste (contrairement à celui
de Groulx), les similitudes de fonctionnement entre les deux
textes n'en apparaissent pas moins inquiétantes. Étonnante similarité entre une littérature qui ne «peut être chez nous
un principe de force ou d'immortalité, que par l'expression de notre vie, de notre pensée, de notre âme à nous,
notre âme canadienne-française» (Groulx) et le rôle de

retransmetteur que Lalonde prête à celui qui, comme une antenne, met «en mots les manifestations de la pensée, de la sensibilité, bref de la vie québécoise» pour capter et faire recirculer «véritablement l'*expression* populaire». Forclusion du sujet et des minorités culturelles, disais-je, mais forclusion aussi du langage et du texte comme matérialité historique jamais immanente à la chose ou à l'être, mais constituant plutôt la chose pour un être dans une mise au monde constante de l'être à travers la chaîne du langage. Et cette «expression populaire», tout comme la notion d'inconscient collectif, ne sert toujours, dans la bouche des élites, qu'à faire taire la libre pensée et l'inconscient du sujet. Que Michèle Lalonde ne voie littéralement pas ça procède d'un aveuglement centraliste propre au nationalisme[1].

1. L'aveuglement que suppose une politique de l'enracinement pour enrayer «amalgames» et «influences néfastes», nous n'avons pas à le chercher bien loin. C'est un homme d'État, le vice-premier ministre du Québec et ministre d'État au Développement culturel et scientifique, M. Jacques-Yvan Morin, qui nous donne en clair – dans *Le Devoir* des 16 et 17 juillet 1981 – une version rajeunie de la «durée française». Je me contenterai ici d'indiquer deux extraits significatifs de son discours prononcé au Congrès national des sciences de l'éducation : «À mon avis, ce n'est point faire preuve de ‹conservatisme› (comme d'aucuns le soutiendront volontiers), que d'asseoir les valeurs sur le fondement de la continuité, de la fidélité aux valeurs de durée. Il y avait dans l'éthique et la culture d'hier des valeurs qui constituaient comme un appel. Pour sortir du grand Rien, nous n'avons pas à tout réinventer, mais à renouveler les très anciennes intuitions qui s'appelaient le bien, la justice.» Et encore : «Un certain discours sur les valeurs verse parfois bien rapidement dans une sorte de mondialisme. Malgré son ton généreux, il équivaut souvent à un éloge du syncrétisme culturel et de l'amalgame de toutes les valeurs qui circulent. Les communications modernes donnent en effet la possibilité de piller pour ainsi dire toutes les cultures du monde et de se les approprier superficiellement, à bas prix. Il en résulte souvent de simples nomades ou

L'insistance avec laquelle on revient sur la circularité d'une communication qui origine et retourne sans procès à la collectivité québécoise, la vision d'un peuple émetteur-récepteur pour lequel l'écrivain n'a qu'à ajuster ses ondes de retransmission par le bouton des «façons de dire adaptées à son entendement», tout cela ne soulève pas le moins du monde les problèmes propres à l'écriture comme *pratique spécifique,* au temps paradoxal de l'écrivain comme *sujet en procès; sujet* qui, en dérogeant à ses devoirs, se retrouve aux prises avec l'imposition du nom, de la fonction, le contingentement des pulsions, et le désir fou de réinventer la vie, s'ouvrir à tout vent, rompre les barrières convenues de la signification. Pour Lalonde, l'écrivain semble un tout petit peu au-dessus de ces lieux d'inclusion ou d'exclusion de l'ensemble, même si elle le place de Montréal à Matane ou de Hull à Natashquan. L'emploi de termes qui impliquent un effet réaliste d'assomption du Sens, le cliché d'un bloc compact

vagabonds des cultures. Bref, l'éducation aux valeurs ne se fait pas dans un quelconque espéranto; elle commence par l'enracinement dans les valeurs d'origine» («Les valeurs et le dialogue des cultures»). On accepte les apports extérieurs, mais attention, à condition qu'ils soient pratiquement inopérants, en mesure de consolider les valeurs unifiantes («intuitives»!) perpétuant une image reçue de la nation québécoise. Rajeunissons la décoration, donc. Remarquons que les accusations d'inappartenance ont à une autre époque réussi à censurer (pour ensuite les récupérer) ces «nomades» et «vagabonds des cultures» que sont Nelligan et Saint-Denys Garneau, pour ne prendre que ces deux exemples. Ces deux déracinés de la langue nationale, de la langue gardienne du Bien et de la Justice, ont vécu, malgré tous les commentaires qui les rivent, des expériences d'individus qui se perdent et nous arrachent à nos niaiseries folkloriques en éclaboussant par leurs paroles imprenables le mur de la bienveillante norme. L'enjeu de toute modernité se trouve là : s'affranchir ou non du miroir de la langue maternelle.

chargé de l'avenir de chacun (*la* vie québécoise, *la* collectivité, *son* entendement, *l'*expression populaire), généralise en la court-circuitant la présence sensible et incontenable, présence gommée *de facto* par ces termes englobants. Une disparition s'ensuit où tout ce qui ne correspond pas à la définition du terme englobant (ici nationaliste) se trouve, comme tendance hérétique, immédiatement banni des innombrables présences qu'il enveloppe.

À la limite, c'est une logique non seulement nivelante mais censurante qui pourrait s'y installer en douce. Si chez cet auteur nous sommes près de cela, chez Lionel Groulx par contre nous y nageons avec beaucoup d'aisance. Les termes qui viennent confondre le je et le nous, le culturel et le national, sapent toute hétérogénéité autour d'un point originel d'où émergerait le sens, sens qui permettrait – par le point de convergence vers lequel s'acheminent fatalement ses variantes – la cohérence de l'ensemble social. L'ensemble social toujours menacé d'un *dehors* montré comme *non hétérogène,* c'est la qualité propre à chaque peuple et à chaque personne qui le compose d'en déchiffrer et faire éclater les structures aliénantes. Les différents réseaux d'une collectivité ne doivent jamais se soumettre au seul grand réseau d'une preuve impérative, parce que c'est en définitive – voilà ce que la conscience critique des histoires nationales nous laisse entrevoir – toujours ce grand réseau qui, de quelque parti pris qu'il soit, programme l'ordre contraignant du Sens désigné de la Nation.

La tâche de l'écrivain a toujours été en quelque sorte de maintenir une distance toujours ardue, et à la limite intenable, avec ce réseau du Sens, du National, du Pouvoir. Dans la conjoncture québécoise actuelle, il me

semble qu'il se doit, dans une tension ravivée, de combattre pour cette reconnaissance culturelle et politique
du fait québécois (sa singularité émergeant d'un recoupement européen et américain qui fait de ce peuple un
événement unique dans l'histoire des nations), tout en
poursuivant le refus vital que la reconnaissance recher-
chée, une fois trouvée, ne se gèle en un endroit imposé
du savoir, des comportements, de la culture. Il doit pa-
rier non seulement pour une libération de la «mémoire
collective», mais aussi et surtout pour la libération de la
mémoire individuelle dans tout ce qui l'enracine obses-
sivement à un Sol où les défunts lui lèguent leurs inhibitions coupables. L'instabilité du présent, les nouveaux
rapports, les nouvelles valeurs ne doivent s'arrêter nulle part, assumer aucun fardeau du Passé si ce n'est pour
développer plus de nouveau dans les convulsions du battement. Les assis de l'identité, de l'osmose, de la fusion
nous volent notre imprenable respiration. Nous saurons,
si la transperçante conscience de l'inconnu ne nous fait
pas peur, nous passer avec joie de leurs très saintes nécessités qui nous classent et nous engrangent.

Ainsi, parler d'une nation qui «sache ce qu'elle est,
ce qu'elle vit, ce QUI LUI ARRIVE. Et qu'elle se le dise»
en ajoutant un peu plus loin qu'elle doit éviter le piège
des «commentateurs de toutes confessionnalités idéologiques» afin de percevoir «d'elle-même lucidement le
principe moteur et le sens» de la succession des événements, tout cela reconduit encore une fois au bon sens
qui émanerait d'une identité québécoise perdue et rat-
trapée. Le témoin impartial miraculeusement hors de
toutes «confessionnalités idéologiques» peut ainsi
mieux nous faire cadeau de son réflexe de réduction
qui l'amène constamment à borner cette «vie humaine

avec toutes ses valeurs qui doit l'emporter sur le profit[2]» par un évanouissement des différences, sommant
l'écrivain de se confondre naïvement avec la foule. Un
peu comme si les différences vécues par chaque entité
dans la foule – et entre autres par l'écrivain – impliquaient
chez cet auteur une attitude de mépris, de désaffection.

Mais c'est bien au contraire en présupposant une incapacité chronique de travail intellectuel de la part de
ce peuple, que certains penseurs dits «de gauche» affi-
chent leur mépris retenu. Nos écrivains communiant avec
la foule ressemblent alors étrangement à ceux que le
chanoine Groulx entrevoyait lui-même comme des «ra-
patrieurs de l'esprit, de l'âme canadienne-française de
son ‹petit peuple›. Voici donc le touchant appel qu'on
leur lance aujourd'hui : «Qu'ils viennent tout bonnement
occuper la place offerte par les points de suspension aux
côtés des commis de magasin, des manœuvres et des
journaliers. Qu'ils y viennent sans méfiance, sans illusion, sans souci de prosélytisme et j'oserais dire sans
projet aucun, c'est-à-dire par simple disponibilité.» Cette
restitution d'une communication sans préalable, sans
interactions conflictuelles, sans contradictions au cœur
même de l'énonciation, prête à l'écrivain le profil de
l'animateur social de bonne volonté. Cela le rapproche
beaucoup d'une mauvaise conscience de l'intellectuel
qui craint d'assumer les difficultés de sa fonction critique : déconstruire les tenailles structurelles qui nous li-
vrent tôt ou tard à l'ignorance et aux préjugés. Son défi
consiste à vivre cette critique comme une démarche intérieure, une fête du langage, un acte de renaissance qui

2. Extrait cité d'un manifeste de chômeurs de la région de
l'Outaouais, in *Québec-Presse,* édition du 23 mai 1971.

insiste sur le «dépassement intolérable de l'être, non moins intolérable que la mort» (Georges Bataille), ce que Borduas appelle poursuivre «dans la joie notre sauvage besoin de libération».

Ce n'est donc pas en étant «eux-mêmes», en parlant une langue révérencieuse qui ne déroge en rien à la langue nationale, que les écrivains pourront critiquer les normativités contraignantes. Une explication comme celle-ci : «Qu'on la régénère [cette langue], qu'on la redécouvre, la réinvente, qu'on l'investisse de significations nouvelles, qu'on la colmate à l'aide du français international, qu'on la secoue, la châtie ou qu'on lui fasse éperdument l'amour enfin qu'on en fasse ce qu'on voudra *mais qu'on la reconnaisse et qu'on l'adopte comme celle de six millions de parlant-québécois*» (c'est moi qui souligne) s'annule d'elle-même. Qu'on la brise, qu'on ne la reconnaisse plus cette langue, qu'elle n'ait plus le droit inéluctable de nous classer et nous plier à ces grands Idéaux centralisateurs qui nous embarquent dans leur Vérité achevée. Qu'on ose ne plus se souvenir de ses cloisonnements, qu'on multiplie les infractions dans toutes les intonations, sous tous les registres, c'est ça l'inconvenante expérience de l'écrivain.

Qu'au Québec la situation sociolinguistique nous oblige à protéger la normativité de cette langue, fait que celle-ci demeure, paradoxalement, un lieu que l'écrivain doit à la fois malmener et défendre, et ceci sans jamais l'innocenter dans sa pratique. Communiquer devient alors non seulement l'effet d'un rapprochement nécessaire, mais en même temps une invitation permanente à la création, en sachant que la souveraineté de l'être précède tout acte de persuasion. Rien ne pourra faire taire les sentirs et les savoirs qui (se) touchent jusqu'au silence.

L'engagement du créateur se fait ainsi politique dans tous les sens, par toutes les directions que prennent les rapports humains à travers les couloirs de l'amour, de la haine, de la douleur et du rêve. Les phénomènes sociaux sont inséparables des audaces qui nous joignent et nous disjoignent dans un ailleurs non conceptualisé, nous questionnant jusqu'en notre plus profonde intimité. C'est là que nous rencontrons nos peurs ancestrales (celles que dénonce le *Refus global*), c'est là aussi que nous devons les creuser et en rire de la façon la plus dégagée qui soit.

Le «risque d'une certaine mort» pour révolutionner la littérature («Mort donc à l'égocentrisme littéraire. Mort au vedettisme. Mort à l'impérialisme étranger en littérature») reste accroché aux vertus de l'adaptation «aux schèmes de sensibilité et de compréhension qui nous sont propres[3]». Or ce n'est pas un timide «décloisonnement des genres traditionnels ou la recherche de formes complètement inédites» qui viendront remettre en cause le ce-qui-va-de-soi de cette sensibilité et de cette intelligibilité «bien à nous». L'écrivain comme la langue n'appartiennent à personne. Si Michèle Lalonde a bien raison de se contredire en ajoutant que «la littérature révolutionnaire n'est ni forcément ni exclusivement celle qui se donne pour mission de protester contre ce qu'il est convenu d'appeler le Système»

3. Étonnamment similaires, ces propos : «Incarnation d'une pensée et d'une vie, l'œuvre par cela même qu'elle enferme l'âme d'une race dans des formes immortelles, atteint à la vertu d'un principe de durée.» Et encore : «Il faudra bien que nous soyons de chez nous et de notre passé, si nous voulons continuer quelque chose.» C'est Groulx ici qui exige une adaptation aux schèmes de valeurs et de sensibilités de son époque, pour mieux perpétuer la doxa catholique et française alors régnante.

et qu'elle parle lucidement d'une littérature qui «avec les moyens du bord, se donne pour objectif d'opérer chez ce dernier [le lecteur] une mutation intérieure profonde et consent à passer par les schèmes de sa sensibilité non pour les flatter, mais pour les révéler et les faire éclater, en faisant apparaître dans cet éclatement une vision renouvelée des choses», je vois mal comment une telle distance critique peut s'accommoder de tant de présuppositions où il faut s'adapter, se conformer, s'identifier à un supposé «lecteur collectif» (le soi-disant «vrai monde», «québécois ordinaires»). Où est donc le sujet sinon dans une identité oscillant entre un ici et un ailleurs, un compris et un incompris? Nos identités peuvent aller au-delà d'elles-mêmes sans permission. Je ne suis donc pas d'accord, encore une fois, avec la dualisation de l'individuel et du social. Il n'y a pas pour moi «des temps où les écrivains doivent se soustraire à la turbulence des événements, voire, où la solitude devient seule garante de la liberté d'expression» et d'autres «où le repli sur soi n'est qu'échappatoire et fuite hors du monde des vivants». Je pense plutôt que le je et le nous, unis dans leur différence pacifiée, ne peuvent survenir l'un sans l'autre. Si le moi confiant ne se manifeste qu'à travers son rapport à autrui, il doit cependant bien se garder d'en devenir l'esclave amoureux. Même les œuvres les plus hermétiques, les plus coupées de la communication (ici je songe notamment à celles d'un Paul-Marie Lapointe ou d'un Claude Gauvreau), sont des faits pleinement engagés dans les événements de leur temps de par leur effraction même.

Pour terminer, j'avancerai dans ce qui va suivre que ce sont les positions du *Refus global* qui nous permettent de comprendre l'étrangeté des libérations affrontant les dogmes et les replis sur soi. Le manifeste de

Borduas s'avère toujours actuel, son utopie ne se réduit pas à une «libération lyrique[4]». Elle passe par la subjectivité, la solitude, la solidarité et la générosité en conflit avoué avec le christianisme des orthodoxies et le rationalisme des injustices et des guerres. Elle excède, et c'est là que plusieurs ne veulent plus l'entendre, les fondements mêmes des conceptions du monde qui imposent, par le biais d'un bonheur différé, un sens de la fatalité à l'existence de tous et chacun.

4. Dans un autre texte, «Entre le goupillon et la tuque», Michèle Lalonde, tout en faisant l'éloge du *Refus global,* prend plaisir à opposer ce manifeste à *Cité libre* dans sa «tentative de libération moins lyrique et plus terre à terre» qui devient rapidement une défense du *statu quo* fédéraliste. Désamorçant toute la portée libératrice du *Refus global* pour maintenant, elle le confondra avec «les ténors les plus audacieux de *Parti pris* [qui] ont finalement transporté leur praxis révolutionnaire vers les champs de chanvre et de marguerites du mysticisme naturaliste, du *peace and love* et de la libération poétique universelle». Contrairement à ce qu'elle pense, nous sommes là à mille lieues du *Refus global.* Et ce ne sont pas les «objectifs élémentaires visés par le Parti québécois» dans sa «tâche de sensibilisation, de psychanalyse et de ré-éducation des masses» *(sic)* qui nous permettront de faire l'économie d'une relecture du manifeste automatiste. Les «forces déterminantes de l'Histoire» qui réprimandent ou se penchent avec condescendance sur ces «bags et sous-bags» («catéchisme de la lutte des classes», «messianisme du joual», «vapeurs orientales et contre-culturelles américaines») ayant traversé le Québec, laissent entrevoir de drôles de lendemains si on se fie à des affirmations comme celle de voir «surgir, hors du melting-pot d'influences étrangères, une littérature nationale». N'y aurait-il pas là une résurgence religieuse du pur et de l'impur dans ce mépris total pour toute forme de recoupements et de mélanges?

La passion d'autonomie

Les événements qui entourent la publication du *Refus global* sont plus ou moins bien connus. Mon objectif n'est pas d'en retracer l'historique. Disons simplement que ce manifeste, signé par Borduas et cosigné par des peintres et intellectuels amis, répondait bravement au climat de censure d'une époque sclérosée qu'il est convenu d'appeler celle de la grande noirceur. Le régime duplessiste, ses valeurs de sauvegarde, sa politicaillerie avilissante, le conservatisme ennuyant qui sévissait dans le milieu des arts et des lettres, la répression des ouvriers et des intellectuels, voilà *grosso modo* le contexte duquel émerge la révolte des automatistes. L'examen que je ferai de ce manifeste montrera en quoi non seulement celui-ci nous concerne tous par rapport à notre passé récent, mais encore combien il demeure toujours *critique* face à la consolidation du nationalisme actuel et de son conservatisme en matière de culture. Si aujourd'hui nous assistons à l'éclosion de pratiques littéraires et artistiques diversifiées, cette éclosion n'évacue pas pour autant des conceptions de l'écriture, de l'art, de l'intellectuel, de la société, fondamentalement différentes, voire même contradictoires. Le *Refus global,* par rapport aux débats présents, me semble alimenter les positions les plus audacieuses. Nous verrons en quoi son apologie du refus attaquait de front le naturalisme historique, le catholicisme de la peur et de l'expiation, de même que les prétentions organiques à l'intégration de l'artiste aux croyances politiques de son temps.

Ce texte, que nous diviserons en trois parties, émet un grand cri d'insubordination contre tout ce qui pétrifie ou refoule les actes, les passions, les pensées libres. Face à des forces et des valeurs qui nous désapprennent l'effervescence de l'imaginaire, le *Refus global* sonne comme une cassure radicale. Dans un premier temps, nous prenons acte d'une mise en situation historique du peuple canadien-français; dans un deuxième temps, nous retrouvons une série de revendications pour faire éclater l'étau socioculturel dans lequel ce peuple est confiné; puis, dans un troisième temps, nous assistons à un «règlement final des comptes» où Borduas prend ses distances par rapport à tous les pouvoirs. La volonté de rompre le serment obligatoire de l'artiste à sa Patrie, le désir de s'évader des lieux communs qui piègent les sujets dans une civilisation chrétienne rationaliste, voilà la position provocante et souveraine qui anime ce manifeste. La mise de l'avant d'une vision si peu nostalgique chez les écrivains et artistes contemporains, comme chez tous les vivants d'ailleurs, affronte les positions plus «réalistes», plus «nationales» de la littérature et de l'art. Elle pose une fois de plus la question du rôle et des tâches qu'écrivains et artistes assument au sein de leur communauté.

Les événements des dix dernières années nous démontrent que rien n'est décidé d'avance, pas même à l'intérieur de ce qu'il est convenu de nommer la «gauche» ou le «progressisme», de la poursuite d'une libération des corps et des esprits qui a tôt fait de se plier aux nouvelles exigences du Sens de l'Histoire. C'est sans relâche qu'un engagement pour le mieux-être collectif – ne sacrifiant pas aux individus, aux minorités, aux divergences – doit se désengager des fantasmes infantiles qui abrutissent les vivants afin de les rendre réceptifs aux dogmes de leur maître le Passé. *Réinventer fiévreusement la vie,* voilà le pari fulgurant que ce refus nous invite à tenir.

*

D'entrée de jeu, *Refus global* pose la question d'une Histoire, indique l'Histoire comme nécessité qui fait question pour le vivant. Il va sans dire qu'est touché là un *nœud* dans lequel s'installent le nationalisme et les valeurs religieuses, nœud d'une gigantesque spéculation que le manifeste automatiste desserre pour en montrer la fiction opérante. Il s'agit donc de «familles» et de «rejetons» qui, à travers leurs diverses appartenances de classe («ouvrières ou petites-bourgeoises»), se retrouvent confondus dans un «attachement arbitraire au passé». Le manifeste s'attardera principalement (et nous le verrons très explicitement dans la seconde partie du texte où sont énoncées une série de revendications) à dénoncer cet attachement arbitraire («maillon de notre chaîne») qui se traduit par la *peur* : peur du subjectif, du passionnel, du déraisonnable, de l'ouvert au présent. Cette peur enroulée au passé de l'Histoire, nous l'avons maintes fois constaté, se renverse aisément en sentiment de puissance du groupe. Elle définit le passé par un présent qui en témoigne et devient la promesse de son accomplissement futur. Cette Histoire qui ne veut pas passer, cette peur existentielle qui codifie la jouissance pour accéder au Salut, est décrite comme fondamentalement *religieuse.* Le rapport passé / histoire / peur se voit scellé par les bases religieuses qui pénètrent la culture profonde de ce «petit peuple serré de près aux soutanes». Situation tout à fait propre au Québec de l'époque, qui vient renforcer la mainmise de l'Église sur la société d'alors.

L'on remarque avec justesse l'hégémonie de l'institution catholique dans le domaine de la langue; l'on décortique ses effets de connaissances / méconnaissances qui viennent reproduire un système politique où les inégalités sociales, alliées à des tactiques d'oppression et d'exclusion très adroitement utilisées, sont données comme essentielles à la mission morale du Canada français. Les prêtres ne se contentent plus seulement de représenter les intérêts spirituels de leurs fidèles, ils se perçoivent comme les uniques «dépositaires de la foi, du savoir, de la vérité et de la richesse nationale». Voilà ce qui confine socialement et intellectuellement une majorité à un point de vue centralisateur qui tient à l'écart, enveloppe, s'empare de la conscience de chacun pour en faire des membres dociles de la collectivité. C'est une faction «janséniste» de la mère patrie, une des plus conservatrices et puritaines de la France croyante, qui se prolonge dans son isolement sur cette terre d'Amérique, un isolement qui la protège et lui permet un nouveau départ. Cette faction janséniste va consolider son ascendance sur les âmes par l'intermédiaire, notamment, des maisons d'enseignement qui organisent «en monopole le règne de la mémoire exploiteuse, de la raison immobile, de l'intention néfaste». Une jeunesse se trouve ainsi immédiatement normalisée dans le strict respect d'une autorité qui parle au nom de Dieu, de l'Histoire, de la Nation et de la Famille. La mémoire du passé repose sur une narration mythique qui la motive et la contraint, l'ignorance obligatoire est érigée en système dans le bonheur de la Foi sauvée.

Ce premier mouvement, à l'intérieur d'une brève description historique du Canada français, fait rapidement place à une nouvelle lucidité qui l'excède et pourrait soustraire le pays à ses préjugés, censures et autocensures : le contact avec l'autre, l'étranger, l'extérieur. C'est là que la brèche apparaît et peut s'agrandir, c'est là qu'il semble maintenant possible de renverser «le prestige annihilant du souvenir». Mais n'allons pas nous méprendre sur le sens de ce contact. Cet autre, cet extérieur sont avant tout ce qui se vit et se pense *autrement,* comme *extériorité.* Cela n'a donc que peu à voir avec des considérations d'ordre géographique. Il ne s'agit pas simplement non plus d'adhérer à des formes exotiques de cultures et de savoirs, mais encore de se porter à la rencontre d'œuvres artistiques qui bouleversent le dictionnaire des conduites reçues. C'est l'*autrement* de l'autre, l'*extériorité* de l'extérieur, qui est ici visé radicalement.

Face au destin «durement fixé», face au mur du «blocus spirituel», ce sont les violences «des révolutions, des guerres extérieures [qui] brisent cependant l'étanchéité du charme». Soulignons la réelle fascination qu'exerce ce mur. Le blocus spirituel garant d'un assujettissement à la sécurité répressive de la tradition se construit par l'entremise de la cellule familiale, appareil qui exerce une surveillance de tous les instants sur les possibles dérogations à sa Loi, dérogations qui déplient un fond sexuel contenu et canalisé à bon escient par l'institution religieuse elle-même. Paradoxe d'une sécurité qui réprime, en effet, et le paradoxe est capital; il vient signifier un conflit interne à la constitution du sujet. Celui-ci se trouve scindé, d'une part, par son devoir d'appartenance et d'amour-fidélité le situant dans une continuité historique et familiale, et d'autre part, par son désir inconditionnel de vivre sa vie et d'en jouir indépendamment des préro-gatives dictées par le Père-Mère, l'Église, la Raison sta-gnante. Le temps de l'Histoire (la lourdeur de son éternité immuable à ne pas confondre avec la présence ardente de l'éternel instant) affronte et tente de drainer le temps du sujet au sein d'un ressassement perpétuel. Le problème du contact avec l'extérieur est donc double : il implique non seulement un changement de lieu, mais aussi une ap-proche démystifiante du temps historique que les institu-tions nous ont légué. Cette approche ne peut se faire jour qu'à l'aide d'une conception dialectique des phénomè-nes sociaux et religieux, phénomènes montrés comme re-coupant dans sa plus profonde intimité le sujet parlant. Le contact avec l'extérieur ne peut donc se réaliser en passant outre à ceci : ce qui relève de la tradition, du pas-sé et d'une volonté de durée, ce qui nous contient pour répondre à toutes nos questions et boucher tous les vides, est en même temps ce qui nous permet de dire je et nous au sein d'une communauté. Le rapport avec ce qui est neuf, différent, ne peut s'établir une fois pour toutes et se vivre facilement. Il nous met plutôt en probabilité, dans un équilibre / déséquilibre qui rend toute fixation à une langue «naturelle» impossible. Là le sujet prend position, il s'implique personnellement dans un jeu qui pose (sans le lever) le dilemme de son identité et de son rapport au monde. En ce sens, les violences militaires ou symboli-ques dont parle Borduas dressent la voie éprouvante qu'empruntent les renouvellements ou les régressions, voie parfois horrible mais incontournable. Résistances, adhésions, inversions, les événements qui se répercutent restent en cours. De loin, ceux-ci secouent la léthargie séculaire d'une minorité d'artistes et d'intellectuels canadiens-français.

Une allusion à la lutte des patriotes de 1837 viendra démasquer la fausse neutralité du nationalisme prêché par l'élite : «Les luttes politiques deviennent âprement partisanes. Le clergé contre tout espoir commet des imprudences. Des révoltes suivent, quelques exécutions capitales succèdent. Passionnément les premières ruptures s'opèrent entre le clergé et quelques fidèles.» La prise de conscience d'une collusion entre le pouvoir spirituel et le pouvoir politique est donnée comme facteur d'émancipation pour une jeunesse «au corps sémillant» contrôlé par une «morale simiesque».

Un autre facteur d'émancipation est aussi retenu : les voyages à l'étranger. Mais là encore, vision tout à fait critique, ces voyages ne sont pas décrits comme libérateurs en soi. Si effectivement Paris, entre autres exemples, reste «trop étendu dans le temps et dans l'espace, trop mobile pour nos âmes timorées», le dépaysement nécessaire qu'il effectue ne suffit pas à ouvrir les écluses. La vie d'étranger à Paris devient, dans la plupart des cas, «l'occasion d'une vacance employée à parfaire une éducation sexuelle retardataire et à acquérir, du fait d'un séjour en France, l'autorité facile en vue de l'exploitation améliorée de la foule au retour». Le simple déplacement ne suffit pas. C'est à une véritable mutation que nous convie Borduas. Cette mutation passe par un déblayage des valeurs traditionnelles que l'on retrouve aussi bien dans son pays qu'ailleurs. Ce sont les «œuvres révolutionnaires», étrangères en leur pays même, qui marquent l'initiatique et «exceptionnelle occasion d'un réveil». Ce réveil ne peut s'accomplir dans la neutralité et la quiétude. Il engendre des déchirements. Il est vu ici et là comme «inviable».

[Il n'est pas sans intérêt de noter combien, une dizaine d'années auparavant, un poète comme Saint-Denys Garneau a vécu un rapport problématique à la France contemporaine. Il suffit de lire son journal pour voir jusqu'où l'Europe a ébranlé sa conscience trop fragile. Dans sa lettre du 1er août 1937 à Robert Élie, il écrit : «Heureusement ce voyage de retour n'a pas été le supplice que je présumais. Le troisième jour, je ne sais comment, par quel miracle, il s'est formé une sorte de croûte sur ma sensibilité, et je n'ai plus été aussi déchiré, aussi brûlé qu'avant.» Il ira jusqu'à dire : «Enfin, je suis sorti de l'enfer.» Dans sa lettre du 5 août à Jean Lemoyne, on peut encore lire : «C'est un soulagement d'être arrivé ici, un soulagement comme le sommeil, l'impression d'être un peu à l'abri.» Mais à l'abri de quoi au juste? Dans cette même lettre, la révélation qui suit : «Un seul désir véritable, une seule envie qui me revient, coucher avec une femme.» L'occasion manquée d'un réveil se traduit chez Saint-Denys Garneau par le besoin de retrouver le sommeil dans les bras de sa Mère Patrie, sans que cela n'empêche le retour du refoulé : «coucher avec une femme».

Le fond sensuel de la langue, qui perce malgré tout, se transforme, sous la surveillance morale de la Mère Patrie, en un sentiment de désolation, une incapacité de plus en plus grande de sortir de soi pour entrer en relation avec l'impensable dehors. Le génie poétique de l'auteur se trouve entièrement là, dans l'accentuation de cette tension existentielle qui soulève la question des ressources et des limites de notre identité. Robert Élie est en cela d'une lucidité remarquable. Écoutez plutôt : «Au fond de Saint-Denys ne cherchait-il que ‹la maternelle endormeuse des râles› dont parlait son cher Verlaine? C'est possible et même probable. Dans cette lettre du [4 janvier 1934] après avoir parlé de sa dette envers sa mère, il évoque la présence d'une jeune fille ‹qui a une extraordinaire importance›. Elle fut, semble-t-il, l'une de ces bonnes filles qui aiment aimer, qui savent consoler et, surtout, écouter avec une inlassable admiration. C'est d'elle que Saint-Denys dit : ‹elle m'a aimé tellement plus que je ne l'ai aimée›. Envers elle, comme envers sa mère, il se sent en dette» («Vocation à l'amitié plutôt qu'à l'amour», témoignage tiré des *Cahiers de Saint-Denys Garneau, Mémorial,* éditions du Noroît, 1996, p. 94). Nelligan subira le poids mortifiant de la même dette. Par contre, chez un Alain Grandbois, il en va tout autrement. Ses voyages concrétisent le renouvellement tant souhaitable. *Note de 1997.*]

Malgré les réactions «[...] les lectures défendues se répandent. Elles apportent un peu de baume et d'espoir». Mais quelles sont ces lectures? Avant tout celles des écrivains et des poètes d'avant-garde. On mentionnera les noms de Sade et d'Isidore Ducasse. On pourrait sans doute y inclure Rimbaud, Nerval, Mallarmé, le groupe surréaliste. Et qu'apportent de fondamental ces lectures? «Les inquiétudes présentes, si douloureuses, si filles perdues», des réponses qui ont «une autre valeur de trouble, de précision, de fraîcheur que les sempiternelles rengaines proposées au pays du Québec et dans tous les séminaires du globe». La poésie comme facteur de transformation sociale est entendue dans sa négativité opérante, et ce, à l'encontre des certitudes rétrogrades véhiculées par les élites et leurs majorités dominées. Or c'est bien parce que cette expérience personnelle touche à la langue que nous avons déifiée qu'elle demeure indomptable, et que son pari doit être pensé autrement que sur le mode de la fondation. Notre âme guerrière ne se bat qu'au présent, sa seule vocation est celle de l'éveil.

À chaque pas, l'épreuve de son altérité ressuscite. Débaptisant les territoires, elle délivre le sujet de la prise universelle de la conscience jugeante, elle le distancie de tout point d'ancrage qui réclame une profession de foi initiale.

L'expérience solitaire de la poésie, décapturant la langue elle-même, est vue comme contraire à l'idéologie nationaliste du *salut global,* comme à toute autre restriction idéologique. Le nationalisme canadien-français avec ses «oripeaux» est alors associé aux abus du clergé : «Au diable le goupillon et la tuque! Mille fois ils extorquèrent ce qu'ils donnèrent jadis.» Il faut aller «par delà le christianisme» dans cette utopie de «la brûlante fraternité humaine dont il est devenu la porte fermée». Les valeurs positives de cette utopie soutiennent les «rêves», les «vertiges», la «liberté possible» qui désinvestissent les enclos rationnels et religieux. Un appel, pour ainsi dire, à l'incomparabilité de l'être dans ses passions infondées; un affront direct au provincialisme des survivances qui méprise la dimension universelle de l'esprit, condamne les audaces sensuelles des formes et flatte l'ignorance exacerbée toujours prête à exciter les foules. Utopie, disions-nous, dans la mesure où cette «brûlante fraternité humaine» pourrait laisser croire à une résolution finale des tensions et des violences; utopie aussi dans la mesure où une telle grandeur de pensée peut devenir un lieu de dialogue des cultures, une capacité de résistance sans fin à tout ce qui aliène l'expression de l'être ou exploite le potentiel réactionnaire de ses émotions. Utopie nécessaire sans doute, qui doit constamment se défendre de sa fascination d'un retour à l'Un, ce Un des pouvoirs régulateurs et sanglants. Position périlleuse, sans espoir, qui doit déjouer les promesses de «récompense finale», mais qui, d'être tenue malgré tout, reste la seule vivante, la seule à apprécier la vie avant les considérations officielles; une posture étrange, coupable de finesse, furieuse de découvertes, et qui, tel est le scandale, ne nous rassemble pas; une chance, pour l'être seul, de rompre son identification narcissique à la force des pouvoirs renaissants, sans jamais les éliminer pour autant. Éliminer tous les pouvoirs, c'est ce que le Pouvoir se tue à nous faire croire lorsqu'il se dissimule sous le manteau de la commune mesure ou de la fausse démocratie. *Devant l'ampleur de l'énigme que représentent les autres, le moins de pouvoir possible.* Voilà l'engagement original qui ébranle le fonds chrétien des utopies.

Nous en arrivons ainsi à ce que cet engagement doit surmonter pour être tenu : les peurs ataviques qui encadrent depuis le début ce «petit peuple» d'Amérique. Borduas les énumère «dans le fol espoir d'en effacer le souvenir» : «[...] Peur des préjugés – peur de l'opinion publique – des persécutions – de la réprobation générale / peur d'être seul sans Dieu et la société qui isole très infailliblement / peur de soi – de son frère – de la pauvreté / peur de l'ordre établi – de la ridicule justice / peur des relations neuves / peur du surrationnel / peur des nécessités / peur des écluses grandes ouvertes sur la foi en l'homme – en la société future / peur de toutes les formes susceptibles de déclencher un amour transformant / peur bleue – peur rouge – peur blanche : maillon de notre chaîne. / Du règne de la peur soustrayante nous passons à celui de l'angoisse». Peurs que résume la terreur ancestrale de la mort, enfouie au plus profond de la conscience, terreur très vite inversée en intolérances de toutes sortes. Notre mortalité refoulée nous rend inapte à passer d'un lieu psychique à un autre, à mesurer le caractère arbitraire des liens que nous tissons avec nous-même et avec nos contemporains. Borduas nous incite à éprouver davantage les rouages viciés des entreprises sociales de conditionnement (temps, histoire, pouvoir, État, religion, nation, famille) comme autant de compartiments susceptibles de provoquer des comportements craintifs ou belliqueux; et à sortir de soi, changer de destin, plonger dans un espace infini, instantané, gratuit, léger, afin de repenser ce qui excède la pensée – détachement essentiel au dynamisme d'un sujet non réduit aux lois de la socialité.

Il peut paraître à première vue paradoxal que la peur terminée fasse place à de l'angoisse. Mais cette angoisse est la conséquence douloureuse et la condition même du *Refus global*, de sa chance toujours relancée. Elle se mesure à tout ce qui fait bloc et sécurité, à tout ce qui fait société. Elle n'évacue ni la solitude, ni le manque, ni les doutes. C'est la conscience tranquille de chacun qui est mise à l'épreuve. Angoisse d'une perte de fondements, d'une ouverture indéfinie sur le moment, d'une spontanéité du geste et de la pensée qui tirent de l'avant. Les pratiques modernes de l'art et de la littérature en seraient la condensation la plus virulente, la plus déconcertante. Cette angoisse, le manifeste automatiste nous la montre liée à une époque inacceptable de ségrégations et de cruautés, époque qui fait des personnes des objets qu'on troque ou qu'on détruit. Ce sont les dérèglements, les inconvenances des pratiques modernes de l'art et de la littérature qui assument l'angoisse et s'opposent à ce qui constitue l'essence même des fascismes du XXe siècle. À côté des justifications, dénégations, punitions, utilisations qui dénigrent l'existence lumineuse de la personne, ces pratiques affirment le miraculeux élargissement des possibilités de l'être. Elles arrachent le «maillot de cellophane» de l'aveuglement chrétien et nationaliste pour hurler le «poignant désespoir présent». Haines, racismes, ressentiments, vengeances, tueries, exterminations que figurent abominablement les «supplices des camps de concentration». Que ce cauchemar vécu ait été rationnellement justifié, planifié, exécuté, implique une nouvelle lucidité face à «la cruelle lucidité de la science».

Nous voici en présence de l'une des avancées les plus audacieuses du *Refus global* : dénoncer la complicité entre la science, la peur, les croyances religieuses et les intransigeances sociales. La thèse implicite suggère qu'il peut y avoir complicité entre les ambitions de la raison et les forces irrationnelles des superstitions et des cultes. Ce qui devait épargner l'Humanité du désastre se voit joindre les rangs de l'exploitation et de l'oppression. La mégalomanie positiviste des sociétés modernes où la science est donnée comme hors-valeur ne tient plus face à l'horreur des fascismes et des totalitarismes. La pensée critique, les actes désintéressés, les désirs fluctuants restent la seule désespérante résistance. Désespérante non pas dans le sens de la défaite inévitable, mais bien dans celui d'une situation à sans cesse repenser à travers l'analyse de ses retournements et de nos déceptions. Encore une fois cette discontinuité, cette incomplétude de l'être et du monde, *véritable tragédie humaine.* Au Québec, nous assistons à la neutralisation de l'activité poétique vouée «à l'échec fatal sur le plan social»; à l'utilisation intéressée dans «le gauchissement irrévocable de l'intégration, de la fausse assimilation»; à l'échec des «révolutions françaises, la révolution russe, la révolution espagnole [...] écrasées à mort après un court moment d'espoir délirant»; à l'échec de chacun dans sa «propre lâcheté, [son] impuissance, [sa] fragilité, [son] incompréhension» qui laisse la porte ouverte «aux menteurs, aux faussaires, aux fabricants d'objets mort-nés, aux affineurs, aux intéressés à plat, aux calculateurs, aux faux guides de l'humanité, aux empoisonneurs des sources vives». C'est la «nausée» qui remonte devant tant d'impostures. Jugement pessimiste, il s'en faut, mais indispensable à la majestueuse lucidité de ce refus.

Ainsi, franchissant les époques et les structures sociales, le *Refus global* vise de façon sévère la «civilisation chrétienne»; ce sont les archaïsmes de la foi dans le Père, la Cause, la Patrie, dans le privilège d'un éventuel retour au Paradis perdu, qui alimentent les abus et les fanatismes les plus conséquents dans leurs intentions «salvatrices». Pureté de l'être, pureté de la race, pureté de la classe, pureté des bons sentiments, unité originelle réinstaurée! «Supprimez les forces précises de la concurrence des matières premières, du prestige, de l'autorité et elles seront parfaitement d'accord. Donnez la suprématie à qui vous voudrez, le complet contrôle de la terre à qui il vous plaira, et vous aurez les mêmes résultats fonciers, sinon avec les mêmes arrangements des détails. Toutes sont au terme de la civilisation chrétienne. [...] La décadence chrétienne aura entraîné dans sa chute tous les peuples, toutes les classes, qu'elle aura touchées, dans l'ordre de la première à la dernière, de haut en bas.» Ce christianisme qui aura permis la condensation des archaïsmes des civilisations précédentes, archaïsmes inscrits dans le psychisme de chacun; ce christianisme qui, dès l'origine, clame le besoin de soumission à l'autorité du roi, des institutions, des maris, travaille en sourdine les progrès historiques et les sciences. Sciences qui font à la fois progresser les sociétés et les enfoncer plus avant

dans l'intolérance et le meurtre. On sent ici le tiraillement entre la conscience, l'évolution des sociétés, le développement des connaissances et le renoncement aux
pulsions qu'ordonne un ensemble social. Comment vivre les impératifs de notre époque sans mourir à ses aspirations, comment côtoyer le consensus régulateur en
dehors des méfaits de la répression? Toutes les solutions
trouvées pour résoudre cette équation se sont malheureusement appliquées au détriment des singularités et
des exceptions, et au profit des nivellements qui égali-
sent de manière oppressante nos paroles et nos désirs.
C'est peut-être là, dans cette réconciliation entrevue, que
perdure chez Borduas une croyance en une communion
fraternelle qui aurait fonctionné bien avant la civilisation chrétienne, et dont les cataclysmes de ce XXᵉ siècle
barbare annonceraient l'imminente redécouverte. Cet
«écartèlement [qui] aura une fin», cette «raison [qui]
permet l'envahissement d'un monde, mais d'un monde
où nous avons perdu notre unité», suppose un «nouvel
espoir collectif». Mais est-ce que ce nouvel espoir peut,
aujourd'hui comme demain, faire l'économie de la passion d'autonomie des sujets? L'utopie, ici malgré elle
chrétienne, renouant avec le rapport archaïque mère / enfant, demeure pourtant celle qui ne veut pas céder à cette union désirée et mortelle. Elle relance la vitalité
transformante de la séparation et de la multiplication des
paroles, elle appuie la beauté insurrectionnelle de l'art
et de la littérature. En cela le *Refus global* insiste sur la
mise à nu des motivations inconscientes de l'être, en
appelle à un déconditionnement de ses habitudes mentales, saisit magnifiquement la profonde actualité de toutes libérations de l'Homme.

*

Après cette mise en situation historique, nous entrons dans une deuxième partie où s'échelonne une série de revendications pour combattre les rationalités et les crédulités violentes du XXe siècle. Il est curieux de voir encore une fois ici l'insistance avec laquelle Borduas défend le «trésor poétique», lieu d'éclatement des velléités sociales et académiques, lieu où malgré le temps et ses grandes dates ce sont Sade et Ducasse qui dérangent encore et «reste[nt] introuvable[s] en librairie» dans les années 40. Ce sont donc ceux qui s'attaquent à la langue, à la force de cohésion et de normalisation de la langue – revendiquant du même coup le droit de brûler, de s'émerveiller, de voyager jusqu'au centre de la nuit corporelle – qui font œuvre tonique, et ce, malgré toute tentative de récupération, nous dit Borduas. Que ce travail de dislocation des codes, que cette volonté d'allègement et d'oubli soient campés dans «la foi retrouvée en l'avenir, en la collectivité future», que ce «demain» soit montré comme prometteur et libérateur, ne doit pas nous enchanter outre mesure. C'est toujours le moment présent de l'expérience vécue qui décide, en tout premier lieu, de notre capacité de revendiquer l'être dans son insoumission, d'assumer cet être qui, déterminé par les nombreuses conditions historiques, réaffirme son effort de détachement. Effort analytique pour fissurer le temps et l'espace qui nous prêtent une origine, nous attribuent la quête d'une récompense, nous aménagent une existence plafonnée par l'intention, le projet. Lutte baroque avec la généalogie qui, par-derrière comme par-devant, *après avoir tué l'enfant, le vagabond, le libertaire en nous,* fait triompher la famille, la patrie, les serments. C'est ce destin trafiqué, ce cours régularisé des successions et promotions qu'il faut interrompre. C'est l'impossible même que le manifeste endosse, son inépuisable potentiel de révolte. Ceux qui rêvent d'une communication absolue, ceux qui s'attablent autour d'une fin prévue, ceux qui s'agenouillent devant le sens transmis, ceux-là signent la capitulation du refus. C'est «hors et contre la civilisation» que se manifeste cette provocation rieuse à l'égard des centres, de leurs héros, de leurs drapeaux, de leurs modèles d'obéissance et de sacrifice. Connaître alors, c'est ne plus endosser ce qui nous enchaîne à la névrose universelle. Connaître, c'est apprendre à jouir, à s'évanouir, à renaître. Grâce à l'intelligence ineffable des émotions, c'est enfin parvenir à se dégager du chantage de la dette et du pardon.

Hors du règne du quantitatif, c'est la «réserve sensible» qui alimente le terrible moteur de l'incroyance, dévoile la sublime vérité d'une vie mortelle qui s'élève du vide. Le «devoir est simple», nous dit Borduas, et il s'adresse à la part de nous-même qui a cessé d'attendre, d'espérer et de croire en toutes les machines de rédemption. Ce devoir simple, bien que si ardu pourtant, oppose aux «habitudes de la société», à son «esprit utilitaire», à «l'action intéressée», le geste fou de la participation gratuite, de la spontanéité curieuse, de la convulsion qui s'abîme. Ce «devoir» n'est donc pas programmable. Dans un monde où tout se suffit, dans un monde qui nous baptise, nous évalue, nous répertorie, dans un monde tranché net, sans bavure, sans écoulement, l'imagination rayonne et effraie. Sa frontière hésitante entre le je et le nous, entre la folie et la raison, ne cesse de nous perdre et nous absenter dans la reproduction, gagnant sur l'originalité sauvage de chaque passion.

Or cette prise de position s'adresse *à tous,* elle n'évacue pas «les vices, les duperies perpétrées sous le couvert du savoir, du service rendu, de la reconnaissance due», et c'est là que se font jour les méprises les plus tenaces quant à la teneur politique de ce texte. Là où les uns comme les autres ont voulu rabattre le singulier sur le collectif ou le collectif sur le singulier, là le *Refus global* maintient la tension dans l'*irréconciliable.* Le choc est de taille, je le sais, le drame de la condition humaine se pointe là, mais l'un ne retourne dans l'autre que sous l'œil pourrissant de Dieu, de l'État, de la Loi. Il n'y avait rien, il n'y aura rien, et chercher à se subordonner la matière, à boucher le trou, à étrangler la spirale, c'est faire œuvre de fossoyeur, c'est légaliser la violence, les cimentations, les démences politiques et religieuses par l'intermédiaire d'un demain ou d'un hier de la Cause toujours taxable. Il n'y a de répit que dans l'«INTENTION, arme néfaste de la RAISON. À bas toutes deux, au second rang!». *Au second rang,* pour ôter à la logique du temps linéaire le droit d'abolir le hasard, le style, le talent; *au second rang,* pour indiquer la prédominance que prennent l'intention et la raison sur les passions et les secrets de chacun. Le couple raison / passion ne doit sous aucun prétexte s'enliser dans la consécration d'une puissance, d'un ordre, d'une maîtrise. En préservant le libre jeu des contraires à l'intérieur de lui, le sujet qui écrit engendre un dédoublement de la langue parlée / écrite. Cette mise à distance, rendue impossible dans l'échange oral, fait en sorte que l'écrivain regarde la langue comme un lieu à explorer et s'y retrouve, non pas spectateur, non pas acteur, mais bien acteur et spectateur tout à la fois. Il n'y a plus de retranchement possible et le «refus du cantonnement dans la seule bourgade plastique [...] le refus de se taire» concrétise sans doute la plus indéfectible revendication de l'*indicible,* dans la mesure où cet indicible (celui du «PLACE À LA MAGIE! PLACE AUX MYSTÈRES

OBJECTIFS! PLACE À L'AMOUR! PLACE AUX NÉCESSI-
TÉS!») ne se retranche pas du dicible des communautés,
des solidarités, mais le soutient et le désacralise dans un
même mouvement. «L'effort rationnel, une fois retour-
né en arrière, il lui revient de dégager le présent des limbes du passé», ceci parce qu'il y a un passage, une fuite,
un *non* au cœur même de l'Histoire et de son découpage
accepté; ce découpage du oui contre le non et du non
contre le oui, qui essaie d'évacuer l'intolérable du oui
dans le non et du non dans le oui. C'est là, «hors des
limbes du passé», que le bien et le mal s'effondrent dans
la démesure d'une contre-histoire et de sa langue la plus
abandonnée qui soit.

C'est inouï, c'est à en perdre connaissance... Ne plus
entendre les structures abstraites, les points de repères, les
institutions qui nous cautionnent depuis des siècles... Ne
plus croiser les fantômes de nos ancêtres inexistants dans
les livres que nous apprenions par cœur... Ne plus adorer
leurs squelettes rangés au fond des registres, entre deux
dates... C'est inouï, mais ça se fait à même ces «actes pas-
sionnels [qui] nous fuient en raison de leur propre dynamisme. [...] Nos passions façonnent spontanément,
imprévisiblement, nécessairement le futur. Le passé dut être
accepté avec la naissance, il ne saurait être sacré. Nous en
sommes toujours quittes envers lui». L'illusion d'une transparence que l'être se donne à travers tous ses miroirs et
toutes ses histoires, n'est-ce pas cet assemblage convenu
du passé qu'il ne veut pas quitter, ces procédés du sens
qu'il ne veut pas froisser, ce portrait adoré qu'il ne peut
pas se résoudre à ranger? La possibilité soudaine d'un par-
delà, d'un ailleurs – malgré la place qu'on nous demande
de ne pas quitter – nous laisse entrevoir l'éclat d'un souffle susceptible de vouloir regagner sa condition migratoire

et franchir l'esprit de la vieille muraille. Seule la conscience qui évite l'espace à jamais ouvert de l'expérience consolide le mariage du passé et du futur, venant ainsi freiner le travail du souffle agissant qui s'oublie. Le nom, le titre, la renommée, toutes ces illusions simples, parfaitement coupées du souffle, voilent aux yeux de «l'homme présent» la tâche abrupte de vérité «chaque fois qu'un homme consent à être un homme neuf dans un temps nouveau». Les ordonnances qui nous prescrivent ce qu'il faut taire pour expier nos ardeurs écartent cette inintelligibilité exacte : vous êtes, avant même d'avoir été, l'hôte de ce que vous faites, et cela même sans le savoir, sans les leurres et les recommandations du savoir. Vous n'êtes pas le symbole, le représentant, le tenant lieu, le prochain sauveur, non; vous êtes, seulement et avant tout, sans les issues moralisantes de la pensée, vous êtes infiniment dans ce va-et-vient du monde, détaché, brûlant, advenant, comme un dehors qui se dessine, sans évasion et sans repos, avec un regard éperdu qui n'aboutit pas. Le précaire, l'instable, le dérogatoire, aucun ordre ne viendra à bout de cela, c'est même de là que l'ordre se fait et défait dans l'acte. Borduas démantèle notre patriotique désir de se constituer prisonnier lorsqu'il écrit : «Fini l'assassinat massif du présent et du futur à coups redoublés du passé. Il suffit de dégager d'hier les nécessités d'aujourd'hui. Au meilleur demain ne sera que la conséquence imprévisible du présent. Nous n'avons pas à nous en soucier avant qu'il ne soit.» Absence de retenue, absence de faute, présence où tout peut être emporté, sans pour autant posséder l'apaisement. L'attente, l'angoisse, le sexe et la mort restent aux prises avec cette douce hallucination : celle de se savoir vivre avec et pour quelqu'un au-delà du jeu invisible qui nous unit et nous sépare.

*

Avec la troisième partie du texte, nous en arrivons au «RÈGLEMENT FINAL DES COMPTES». Là Borduas pressent la nécessité d'opposer à la totalité des pouvoirs les germes d'une naissance qui n'en finit plus de survenir. C'est l'idée même de système qui vient faire obstacle pour Borduas. Systèmes anonymes qui deviennent les bases de la rigidité et de la servitude. La foi en l'Unité, l'appartenance à l'orthodoxie idéologique du temps, le pouvoir des systèmes en vante le perfectionnement et, si ce n'est pas suffisant, l'inflige jusqu'à s'emparer de la conscience de la personne pour la briser, l'étioler. Mais il n'y a pas de hors-système, de savante pureté hors-système à offrir en contrepartie. Il n'y a qu'une chance qui éclaire peut-être, qu'une vigilance sensible elle-même bordée par le vertige et la peur. Il n'y a qu'une réponse si vous voulez : douter des questions elles-mêmes, des questions de connivence avec leurs réponses. L'être n'existe plus alors pour la question ou la réponse, pour le système, il existe tout court, sans fantasme de retour, avec sa terreur viscérale du néant. La fissure décisive n'empêche jamais rien, elle devient le lieu où toutes choses tombent. Et ceux qui veulent y mettre un terme sont du côté des systèmes : «Les forces organisées de la société», «les amis du régime», les amis de la «Révolution».

L'essence du problème se décide là, et le dénouement en est le plus souvent décourageant : à un moins de pouvoir promis succède un renforcement du pouvoir. Or que refusent systématiquement les pouvoirs? «Les forces organisées de la société nous reprochent notre ardeur à l'ouvrage, le débordement de nos inquiétudes, nos excès comme une insulte à leur mollesse, à leur quiétude, à leur bon goût pour ce qui est de la vie (généreuse, pleine d'espoir et d'amour par habitude perdue).»

C'est clair, les pouvoirs ne comprennent pas ceux qui ne veulent pas du pouvoir! À la limite, lorsque la jouissance du pouvoir se confond avec l'Homme, enrobe la mémoire de l'Homme, alors ceux qui critiquent cet encerclement de l'Homme en refusant l'appartenance à un groupe fort sont dénoncés comme des éléments impurs : fous, étrangers, déracinés, pervers... L'utopie qui lutte contre les appareils sans organe du pouvoir demeure ambivalente, toujours en voie de se rallier pour le meilleur ou pour le pire, toujours en voie de se ranger pour faire la somme des ressemblances et habitudes recommandables. Ceci parce que le pouvoir n'est pas qu'un ordre qu'on impose de l'extérieur, il supporte le principe de certitude inhérent à toute systématisation. Il est le déploiement de la condition même de la parole, de la communication qui renoue constamment avec la coupure et le lien. Il se raccroche à la constitution d'un sujet qui se reconnaît d'un temps et d'un milieu donnés. On ne peut donc abolir tous les pouvoirs. On ne peut que les renverser, les limiter, les désinvestir sans pour autant les évacuer. *Le moins de pouvoir possible,* je le répète. Et pour cela, il faut en revenir au je, à ses blessures, à ses enthousiasmes. Le sujet n'est pas du côté du non-pouvoir, il en serait plutôt l'éventualité toujours problématique.

L'on pourrait ici discuter longuement de toute une mythologie du corps, du sexe et de la lettre qu'une drôle de modernité voudrait installer du bon côté, celui du naturel, évidemment! Matérialisme de la matière, athéisme vulgaire, toujours prêts à politiser le sexe ou carrément en faire une vertu «progressiste» par le biais de leur très avant-gardiste littérature. Élucubrations brillantes qui deviennent l'exact envers du puritanisme triomphant,

puritanisme qui puise lui aussi aux sources du «naturel»!
On peut se permettre alors de classer familles, tabous,
devoirs, échappant, *pour l'honneur d'appartenir à une
nouvelle famille,* aux obscurités «mystiques», aux tâtonn-
ements métaphysiques, aux douleurs personnelles aux-
quelles il ne faut surtout pas prêter l'oreille. C'est là, dans
les classements insensibles, que l'horizon fermé d'une
identité sérieuse, hors d'atteinte, se substitue à la matière
palpitante d'un être non formalisé.

Il faut donc exprimer à nouveau, avec ténacité, les
inquiétudes, les malaises, les désespérances, les splen-
deurs, les ravissements, les voluptés. Il faut débusquer
l'«intention naïve de vouloir ‹transformer› la société en
remplaçant les hommes au pouvoir par d'autres semblables». Il ne s'agit plus de substituer un refoulement à
un autre. Les remplaçants «bien intentionnés» sont appelés à devenir «le plus grand excès de l'exploitation»
(n'oublions pas que Borduas écrit à une époque où le fascisme a été «vaincu» et où le stalinisme se consolide au
prix de millions de morts). C'est la notion même de place
qu'il faut scruter. Borduas parle de différence de classe
et fait la remarque suivante sur la volonté de pouvoir de
ceux qui travaillent à «l'organisation du prolétariat» :
«Comme si changement de classe impliquait changement
de civilisation, changement de désirs, changement d'espoir!» C'est avec la modification des structures sociales,
mais par-delà une foi totale en la bonté des sociétés, au
cœur même de chaque être, *là où conscience et influx
nourrissent des rapports très étroits,* que Borduas res-
sent la nécessité du «complet épanouissement de nos fa-
cultés» et du «parfait renouvellement des sources
émotives» pour «nous mettre dans la voie d'une civilisation impatiente de naître».

À première vue, cela semblera bien suspect aux yeux de celui qui ne respire que par l'identification au Maître, que dans un moi fondu et soumis à la bienveillance du Maître, à sa «curée rationnellement ordonnée». Le surmoi familial des groupes ne chôme pas! Bien suspect aussi aux yeux de celui pour qui l'individu n'est qu'un produit du milieu social, et qui fait de ce milieu l'unique grand responsable objectif. La clef de la Raison retrouvera sans problème la serrure; entrée : par ici, sortie : par là. Toujours le même mécanisme, le résultat est infaillible! C'est par là, au nom de cette «vision scientifique du monde», qu'est oblitéré tout l'impensé que représente la subjectivité en nous. C'est par là que sont écartées les questions concernant la civilisation technique, le nivellement des individualités, la suppression de la dimension spirituelle de notre être qui nous rappelle à la disparition et au silence. C'est par là qu'est contenu le désarroi d'une mémoire qui doit s'expliquer les guerres, les injustices, les échecs, le vieillissement, la maladie. Désarroi face aux contradictions, aux chambardements, à l'extinction de tous dans l'immensité étoilée du grand Rien. N'est-ce pas chaque fois ce désarroi qui nous enchâsse follement dans les intentions les plus incritiquables, dans les formules les plus anciennes, les plus naturelles, les plus rassurantes?

Dieu, Loi, Langage, alliances qui donnent sens à nos espoirs, nos déconvenues. Pouvoir servir, pouvoir s'enraciner en se niant soi-même, en renonçant au danger d'être seul pour affronter les limitations. Mais le *Refus global* ne remplace pas nos apprentissages, nos hypothèses, nos actions. Il en montre leurs versants éminemment cruels lorsque ceux-ci prétendent dépasser le sujet, ses délires, ses craintes, ses hésitations. Il revendique «l'imprévisible passion», «le risque total», «l'ordre imprévu, nécessaire, de la spontanéité». Il est aux antipodes de «ceux qui possèdent», «tous, gens en place, aspirants en place». Les revendications passent plus précisément par la dénonciation des «petites valeurs marchandes» et du «faire fortune» qui récupère, égalise le terrain pictural, le ramène de manière intéressée au jeu des cotes et de la célébrité monnayable. Les préoccupations historiques et métaphysiques de l'art, les automatistes ne peuvent les concilier avec ceux qui souhaitent de leur part qu'ils consentent «à ménager leurs possibilités de gauchissement par un dosage savant de [leurs] activités». Ce dosage savant, on le sait, en appelle toujours à la fermeture du dit, au contrôle des actes créateurs du peintre, afin de mieux envelopper ce sujet inconforme, le rendre présentable par du talent, du génie, une originalité inoffensive. C'est la version utilitaire, rentabilisante (idéologiquement et financièrement) de l'expérience artistique que Borduas entrevoit comme ossification du vivant, de l'incalculable vivant. Cette façon superficielle de s'en remettre aux fluctuations du marché, aux alibis des reconnaissances, est à la racine même des mécanismes de protections et d'exclusions qui entravent le travail critique. L'attachement aux étiquettes commerciales, aux réputations officielles, n'est-ce pas la peur en son fond le plus chrétien : peur d'être seul sans Dieu, peur de l'ordre établi, peur des relations neuves? N'est-ce pas la sophistication idéologique de nos chaînes : chaînes des définitions, des parentés, des dépendances? Cette peur que le nationalisme reformule à sa manière, n'est-ce pas à bien y penser, une peur plus primitive dans sa fonction assujettissante? Peur de vivre une sexualité qui nous coupe de la mère, de l'emblème, du

sentiment raisonnable? Peur des questions que les expériences sexuelles ne peuvent manquer de produire
dans la découverte intolérable du vide et de la mort,
découverte que tente de nous confisquer, en misant sur
le sentiment coupable de notre singularité, la morale
religieuse ou politique?

Mettant encore une fois l'accent, pour finir, sur le trésor de la «réserve poétique» qui «ne peut être transmis
que TRANSFORMÉ», et requiert «une relation constamment
renouvelée, confrontée, remise en question», le manifeste surrationnel poursuit donc son «sauvage besoin de
libération [...] en communauté de sentiment avec les as-
soiffés d'un mieux-être, sans crainte des longues échéan-
ces». Sans crainte de la plus longue échéance, celle qui
engage la révélation de la vie à ne jamais se soumettre.

Tout s'épuise...

le non-sens de voir que nous sommes épars
dans la distance du retour à la première personne
Nicole Brossard

Le manifeste automatiste nous restitue la possibilité de rejaillir en dehors des moules que nous fabrique la Raison. Il s'extirpe de l'identification générale à la Nation en tant que celle-ci fait image et coutume. L'artiste créateur donne à sa Nation la chance de ne plus se reconnaître, sachant que jamais la socialité n'englobera la logique déliée de son existence. Nouvelle lucidité d'un être qui n'est pas *maîtrise* mais bien *musique,* corps rythmé par un ailleurs interminé qui active la béance indémontrable de l'origine. Là où les philosophes, les sociologues, les historiens s'aveuglent et font semblant de savoir, l'artiste créateur préfère développer la position provisoire de son rôle défaillant, sans jamais nier l'intensité lumineuse du lâcher prise (l'air s'anime... les livres n'existent pas... le non-moi est une trame d'immensité... comprenne qui pourra!). Son asocialité accepte une non-définition de cet être le plus souvent coulé dans le béton d'une psychologie mondaine à toute épreuve; fiction autosuffisante que viennent couronner les traditions irréprochables et les dissimulations transmises jusqu'à nous par nos pères et les

pères de nos pères et les pères des pères de nos pères...
depuis le trou noir de la nuit des temps qui est celui de
leurs mères impeccables, évidemment. La seule loi à laquelle le créateur soit astreint : ne se défiler devant aucune réalité, laisser chaque instant entrer en lui, pour en
arriver à siffler dans le noir, dévisager la nuit, provoquer
des accidents graves, s'épanouir au plus près de la fête et
de la mort, épouser dans un vertige voulu ce qui n'existe
pas encore...

En s'obstinant à faire le lien entre science et religion,
Borduas, loin de retomber dans les filets d'une nouvelle
conception du monde, nous montre au contraire en quoi
l'éventualité des répétitions totalisantes nous guette; en
quoi le positivisme du projet théorique et l'affairement
de la technique réduisent la liberté à un leurre de l'intériorité; en quoi la Raison d'État peut donner lieu à une
bureaucratisation qui provoque un appauvrissement fatal
de la vie dans tous les domaines. Si le *Refus global* est
lui-même travaillé par le rationalisme et le christianisme
qu'il rejette, si le retour à l'Un (cette foi en un avenir
consolateur) ne cesse d'affleurer dans ce texte, c'est sans
doute parce que tout désengagement du ce-qui-va-de-soi
de l'Un n'est jamais qu'un vertige indescriptible. Ce vertige ne peut s'apprivoiser, se vivre sans dommage, qu'à
s'effacer lui-même dans l'immobilité de la certitude reconquise, faisant de nous des zombis précoces, des em-
baumés consentants. Chacun se trouve pour ainsi dire
déporté vers un lieu embrasé où pointe sa passion, passion qui retourne à la raison, à la religion, et qui doit sans
cesse repartir là où elle n'arrivera jamais. L'effusion demeure ainsi la méthode tremblante du refus, la marque
encore fluide, dissidente, du phénomène humain. Elle ne
doit s'assagir ni devant le désir ni devant le savoir.

Si, d'une part, le christianisme s'est manifesté en im-
posant à l'individu les dogmes de son Écriture en lui assurant du même coup une identité contenue par la peur de
ce qui n'est pas écrit, et si, d'autre part, le rationalisme
qui l'accompagne a fait se retrancher l'individu derrière
une nouvelle conception ultime du monde, reste alors pré-
dominant le cramponnement toujours chrétien à la dou-
blure de soi qui installe *dans la thèse* l'être et le monde.
Thèse restrictive qui prétend saisir les paroles des événements indépendamment du sujet en devenir, avec ses manques, ses ruptures, ses fidélités, ses moments de grâce...

C'est en sautant par-dessus les clôtures que l'intelligence rebelle de la littérature et de l'art a exprimé la perpétuelle vibration, l'incessant entraînement de ce pur désir
de vivre et laisser vivre. Lutte subtile, rigoureuse, hors
des appartenances, douée d'une intégrité d'attention extrême, pour être inconcevablement soi-même, spiritualité et animalité comprises. Déplacer les bornes de la
langue soumise au discours haineux du manichéisme dé-
magogique... Désubstantialiser la Loi qui nous vole le
diamant de notre conscience... Vigilance de la flamme
qui se montre indisponible aux formes les plus fourbes
de la tyrannie... Rive très pure où nous avons rendez-
vous avec l'incompréhensible éclat...

Ce sujet descellé dont l'émergence peut certes susciter des angoisses – affronte les inhibitions paralysantes
par des expériences qui ne sont suivies d'aucune excuse,
et où advenir au lieu exact de sa voix rend essentiel un
certain silence. Expériences dites métaphysiques, individualistes, hermétiques, utopiques – appellations toujours
pauvres, façon expéditive de ne pas vouloir aborder la
teneur subversive de ces mouvements d'arrachement au
Sol, au Sang, au Temps, au Devoir; façon idiote aussi de

se prosterner aux pieds de nos petites idoles jalouses de notre aptitude à resplendir et qui marchent de concert avec ce que nos coutumes gonflent d'importance, *chloroformes habituels pour endormir une stupeur fantastique devant la gratuité physique de notre mise au monde.*

Pour le peintre Borduas, la poésie comme la peinture nous incitent à une aventure qui met en crise les contingentements des discours, nous dévoilant un espace en formation où se mesure le degré d'autonomie du sujet. La référence à l'enfant chez lui vient nous rappeler le travail de déconditionnement toujours à refaire pour garder le contact avec la spontanéité essentielle. Il est urgent, dans cette perspective, de désapprendre les catégories arrêtées de l'espace et du temps, de se décompresser, et d'agir, et de créer.

L'expérience automatiste aura vécu de façon violente, isolée, l'éclatement des codes normatifs. Elle aura fait advenir le refoulé pulsionnel de l'animal parlant. Animal inconsolable, piégé dans l'étau du puritanisme et du conservatisme. C'est, plus particulièrement, en passant par la remise en surface du geste, de la couleur du geste – par impulsions, vitesse, accidents – que Borduas et ses amis nous auront enseigné l'universalité de la révolte. C'est le scandale de la dépossession et de la perte qui venait ébranler la double nécessité qu'impose la triste sagesse capitaliste des nations : se posséder en possédant.

La solitude et l'exil auxquels sera acculé Borduas explicitent de façon douloureuse la teneur inacceptable de ses actes pour une société qui moralise ses souvenirs. Cette punition aura coïncidé avec le passage d'un système traditionaliste, supporté par la ferveur religieuse, à un système productiviste, basé sur la consommation de masse, sans que soit compromis le règne de «l'exploitation rationnelle». La momification de Borduas allait rapidement se confirmer.

L'émotivité, le doute, l'inconnu, le rêve, l'abandon, l'oubli, autant de forces de résurrection d'une qualité sensorielle renversante qui attaquaient de front la commune mesure nationaliste. Un nationalisme diminuant l'être, le ramenant à une co-présence au sein de valeurs soutenant le respect du Passé, la glorification des aïeux, de la famille, de la langue. Plus généralement, c'est une culture de la représentation et du vraisemblable – culture obnubilée par sa propre apparence et son souci de ne jamais la contredire, culture assignant aux vivants la tâche d'exprimer les valeurs inscrites dans la figure intériorisée de la Nation – qui allait s'efforcer de colmater la brèche. Mais déjà des exceptions imprudentes commençaient à se faire entendre.

En poésie, des novateurs comme Paul-Marie Lapointe, Gilles Hénault, Roland Giguère et Claude Gauvreau – ces rêveurs intempestifs – arpentaient des avenues qu'avait inaugurées le surréalisme français. Sur un tout autre registre, les sensibilités spirituelles d'un Gatien Lapointe, d'une Rina Lasnier, d'un Fernand Ouellet ou d'un Jacques Brault accentuaient les interrogations premières, là où mystère et souveraineté deviennent deux choses réciproques. Vinrent ensuite les revendications des poètes déchirés entre une situation politique à nommer et un langage poétique à décloisonner; pensons, par exemple, à Gaston Miron, Gérald Godin, Gilbert Langevin, Yves Préfontaine, Paul Chamberland avec son incontournable recueil *L'Afficheur hurle*. Moment de transition, tentatives de surmonter l'idéologie qui fait de la finitude du «propre» et de la politisation de l'esprit des formes latentes de servitude. Puis, à partir de

1964, des écritures aussi différentes que celles d'un Michel Beaulieu, d'un Juan Garcia, d'un Raoul Duguay, d'un Denis Vanier, d'une Nicole Brossard (ces deux derniers nous soulignant les pièges de l'identité militante en nous indiquant la pertinence de questionner la fascinante reconstruction de soi en image; l'un par une quête d'absolu allant jusqu'à l'autodestruction, l'autre par un audacieux voyage à l'intérieur de l'intarissable fiction des signes) allaient poursuivre le «renouvellement émotif» et la transformation de la «réserve poétique». Dorénavant, il deviendrait de plus en plus difficile de bâillonner la liberté des souffles, de réprimer les soudaines percées au sein de l'impasse identitaire.

Entre deux époques, l'intelligence rebelle de la conscience se débat avec les acquis et les risques du dire. Quoi répondre à ceux qui veulent des comptes exacts, des explications définitives? Que personne n'aura le dernier mot; que les voix demeurent indiciblement multiples; que les pures dépenses de l'univers nous étonnent encore; que nous nous déplaçons à travers des amoncellements de fables, de hantises, de mensonges, vers le grand rire salvateur de l'enfance; et que toute pensée vivante, en ébullition, s'appuie sur un état d'inconnaissance et un amour démesuré de la vérité qui s'épuise, nous échappe, nous entoure...

UNE DÉCOMPOSITION TRANQUILLE

Il est étrange de voir les années qui s'écoulent et de trouver que certains textes gardent encore aujourd'hui toute leur fièvre de jeunesse. Il y a maintenant plus de quinze ans, je me risquais à produire un court essai sur la place et le rôle de l'écrivain à l'intérieur d'un ensemble social. Sur le plan national, nous venions de subir l'échec d'un premier référendum concernant notre indépendance, ce qui coïncidait avec les retombées d'un désarroi politique sans précédent sur la scène internationale. Nous assistions alors à la chute dramatique des idéologies de gauche, idéologies qui avaient jusque-là permis à quelques-uns d'entre nous de croire que l'Humanité marchait lentement mais sûrement vers un avenir meilleur. La prise de conscience du caractère foncièrement oppressif du communisme faisait place à la difficulté de penser une alternative pour contrer les abus de notre système, à un vide intellectuel que s'est empressée de combler l'idéologie montante du néolibéralisme. Dorénavant, un nouveau rêve idéologique pouvait s'installer : la fondation d'un système économique mondial où les exigences du plus haut rendement allaient rétablir l'harmonie naturelle des intérêts humains, à même le laisser-faire du jeu de la concurrence. Le mouvement d'accélération de la production industrielle et de la recherche scientifique pouvait désormais se développer en s'appuyant sur l'image positive d'une communauté mécanisée, uniforme et sans désordre. Ce capitalisme rêvé, loin de remplir ses promesses, n'allait pas tarder à nous décevoir.

Au Québec même, l'appauvrissement matériel et le nivellement intellectuel d'une partie de plus en plus importante de la population nous auront permis d'apprécier la médecine de cheval du néolibéralisme à l'américaine. La disparition de certains acquis sociaux, la dissolution progressive de notre classe moyenne, l'augmentation du chômage au profit des élites financières et industrielles, voilà quelques-uns des bienfaits dont nous gratifient actuellement nos adorateurs du Progrès. Et cela, c'est sans compter sur les conséquences encore beaucoup plus barbares que le néolibéralisme de la mondialisation fait subir à d'autres régions du monde. Nous nous contenterons ici de mentionner la situation catastrophique du vieil empire russe qui a ramené la grande majorité de sa population au seuil de la survie, nous laissant assister au cruel spectacle d'un capitalisme sauvage, mélange d'incompétence, d'irresponsabilité et de corruption à la limite du vraisemblable. Conjoncture où la méfiance et la haine ouvrent la porte aux pires extrémismes politiques.

C'est ainsi qu'à partir des nombreux bouleversements historiques qui s'annonçaient, et bien au-delà de ce que je pouvais encore imaginer, je me suis permis d'émettre mon désaccord sur la fonction que réserve aux écrivains la conception utilitariste de la littérature, conception par laquelle l'individu perd son statut de *sujet* afin de devenir un mécanisme «original» de transmission des valeurs servant à divertir, voire à éduquer les masses ce, au nom d'une Cause finalement politique. L'activité déconcertante de l'écrivain se voit ainsi ramenée à une somme d'intentions qui entretiennent l'illusion d'une société idéale, dans une dénégation de la subjectivité inconsciente et du mal absolu potentiellement présent au cœur de tout rapport humain. Face au péril que représente pour l'être humain la récente alliance entre classe politique et mondialisation des marchés, ce désaccord ne peut être que maintenu. Je demeure plus que jamais convaincu que la tâche principale de l'écrivain est de poursuivre la tradition de révolte contre les habitudes, de rompre les accoutumances au monde qui tuent l'esprit de découverte, de faire reculer sans cesse notre peur ancestrale de l'inconnu. Le terrible devoir de celui qui écrit reste de ne jamais s'abandonner à son propre passé, si justifié et sécurisant soit-il; de questionner l'implacable logique de refoulement qui neutralise le talent d'insoumission dérangeant les stéréotypes nationaux, la fascination naturaliste, les considérations à sens unique, la pesante raison d'État.

Force nous est de constater que la gigantesque machine médiatique de publicité qui dessert les intérêts des entreprises a atteint son but : façonner un public qui ne s'intéresse plus qu'à la consommation instantanée des nombreux produits qu'on lui suggère. Rien ne s'apprend, rien ne se creuse, rien n'est interprété. Ce qui domine, c'est l'apathie d'une rectitude généralisée qui épuise les différences sans les entendre. L'éloge d'une consommation *ad nauseam,* en atteignant le monde de l'information lui-même, a évacué les vérités profondes de notre humanité, là où culture, éthique, spiritualité dérogent au code d'ignorance collective ajustable aux besoins du marché. Eux-mêmes soumis à l'hégémonie financière, nos gouvernements ne savent plus que suivre la tendance en se pliant à des prérogatives d'austérité étrangères au bienêtre des citoyens. Les vertus transcendantes accordées à l'argent, à la réussite sociale, ont donné naissance à des critères de rationalité basés sur un conformisme qui rassure les gens en les enfermant dans une norme. Ce type de séquestration invisible est très rentable, il insuffle au

consommateur une impression de maîtrise, tout en le su-
bordonnant à la religion de la productivité et du profit.
Les valeurs actuellement dominantes nous répètent qu'un
homme doit être jugé selon ce qu'il possède, non selon ce
qu'il est. L'avoir – mesure dogmatique par excellence –
devient le principal motif pour définir la condition humaine, ce qui ne peut manquer d'engendrer avidité, mensonge, désespoir et violence. La logique sans faille du
cercle économico-politique contingente l'énergie créatrice, dévore les virtualités d'une expérience cruciale qui
ne s'interdit rien pour donner à la diversité humaine une
importance de première grandeur. La littérature a et aura
toujours à se distancier de ce qu'il est convenu d'appeler
la bêtise du mimétisme institué. Elle aura sans fin à dépasser les modes, les formules, les coutumes qui nous
empêchent de réfléchir. Les écrivains doivent se réserver
pour nous faire entendre l'essentiel : la portée contradictoire du langage, la présence de l'autre qui me rend effectif, l'émotion purement individuelle, l'instabilité
asociale du désir, la vérité permanente de l'espace. Celui
qui s'agrippe à la surface de lui-même, celui qui élimine
l'inquiétude, la recherche, le silence afin de mieux paraître, celui qui craint de ne pas faire partie du courant, celui-là aura beau s'agiter, son œuvre n'en restera pas moins
beaucoup plus un écran qu'une lumière.

Voir le mal en nous plutôt que chez les autres, voilà
le commencement transfiguré de toute écriture. Et c'est
parce que ce mal n'est pas rationalisable, parce qu'il peut
s'inscrire au cœur même de nos convictions légitimes,
que nous ne pouvons le concevoir qu'opposé à une liberté incréée, originelle, antérieure à toute détermina-
tion de la personne. Il peut être surmonté, certes, mais
jamais supprimé. En ce sens, la vie, comme le savoir, ne

saurait être programmée; elle implique le don de liberté extérieur à la puissance contrôlante des consensus. L'homme chosifié que nous annonce le XXIe siècle se réduit à un ensemble de fantasmes identifiables et bien gérés : désirs sans imagination, sans indépendance, parfaitement manipulables. Nous avons le choix, nous les intellectuels, nous les écrivains : nous adonner à une duplicité inconsciente, cautionner l'avilissement général, nous ranger bien docilement dans la fixité du système, ou au contraire manifester sans tarder notre singulière dissension. Nous pouvons ainsi user de notre plus sereine impertinence, mettre en scène tout ce qui se passe entre les lignes et dans la chair, et qui agrandit notre champ habituel de vision; inclure (plutôt qu'exclure) les innombrables formes de résistance qui déjouent les mécanismes d'oppression, de nécessités obnubilantes, pour entrer dans la force de compréhension et d'ouverture du cœur; incarner la détonnante spontanéité, qui laisse travailler les humeurs imprévisibles de la création, favorise la prolifération des saveurs comme autant de nuances aptes à nous sortir de notre étroitesse de perception.

Par ailleurs, critiquer les tares de la démocratie libérale fondée sur le progrès technique implique que nous reconnaissions que ce type de société est un moindre mal en regard des autres options qui se sont appliquées au cours du XXe siècle. En cela, la grandeur spirituelle de l'engagement démocratique, sa tradition de lutte pour les droits de la personne, son appel au développement d'une conscience éthique en mesure de dénoncer les violences explicites ou masquées, son rejet des fanatiques prétentions du Logos à unifier, totaliser et tout expliquer, sont autant de défis précieux pour s'opposer à l'imposture nihiliste.

L'immense ivresse frelatée du ressentiment nihiliste, sa déification des penchants les plus haineux à l'intérieur de l'homme en font une machine délirante qui justifie l'obscurantisme intellectuel et le terrorisme d'État. Notre désenchantement en présence d'un monde dont l'inhumanité (guerres, génocides, despotismes, criminalité, injustices, pauvreté) ne cesse de gagner du terrain se doit, malgré l'inacceptable, de maintenir la passion de la connaissance et la probité intellectuelle; principe de la libre disposition de soi que vient éclairer un souci de réciprocité, position non confessionnelle sans laquelle peut se développer de façon organisée la barbarie des subordinations de droite ou de gauche.

Il n'est plus possible d'évacuer la menace d'indifférenciation aliénante que laisse peser sur nous un Occident en crise. Il faut être soit totalement désinformé, soit totalement aveugle pour ne pas voir que notre monde actuel met la justice au service d'un groupe, fait de l'ambition une vertu sordide, de la technique un fétiche de la nouvelle uniformité. Le marchandisage de l'être rend caducs les principes qui poussent à l'écoute de l'autre, à la contemplation du vide, à la compassion qui apaise notre fond douloureux. En cela, les sensations excessives, migratrices qui repoussent le prêchi-prêcha de nos chimères restent pour un écrivain une question d'honneur. Méfions-nous du fantasme d'unité qui pèche par optimisme en se mettant au service d'une race, d'une nation, d'une classe sociale, d'un parti politique. Une telle tentative d'appropriation du Sens nous amène tôt ou tard à réinventer des monstres pour les adorer ou les haïr, sous la figure du souverain ou du bouc émissaire. Notre appartenance humaine ne se mesure pas en termes de conformité et de pouvoir. Elle ne vaut, dans son souci exclusif de la vérité, que par son impureté pleinement assumée. Elle implique une fidélité envers soi-même, qui ne s'incline devant nulle puissance militante; attitude qui est le propre de tout esprit non conformiste, esprit qui ne se précipite pas sur les autres pour les juger. Mais encore faut-il, pour cela, reconnaître ce que l'on connaît *intimement,* et qui exige de nous une capacité d'analyse où la réalité mortelle et la parole du sujet s'exposent sans armure, sans béquille, acculées à la rigueur de l'intuition.

Le choc de l'éveil ouvre un intervalle où destin et liberté se répondent, où la subjectivité accueille cette négativité indéfiniment à l'œuvre, position, il va s'en dire, qui n'a rien d'originaire. Un certain scepticisme ne peut que nous aider à distinguer les déplacements du surmoi idéalisé, et qui devient notre juge sous la protection d'un bon sens supposément consubstantiel à la réalité. Le comportement critique (corollaire du travail créateur) s'avère encore le meilleur antidote aux comportements prétendument naturels de la pensée. En cela l'écriture entêtée, solitaire, nous met en communication avec la consumation continue du monde, ses cheminements, ses bifurcations, ses palpitations ardentes. Il y va aussi de la saisie des tensions à l'intérieur de soi entre une identité fermée, soumise à la loi de reproduction, et la force de résistance des désirs en constante rébellion contre le poids archaïque des enracinements historiques. Au-delà du couple appropriation / exclusion qui soude la communauté, l'écrivain affirme sa splendide et solaire royauté. Il désamorce, en la dépassant, la démission complète du sujet qui s'aplatit sous la fiction nationale. Pour lui, le lieu de naissance ne saurait représenter autre chose qu'une instance toujours instable, inachevée, nous invitant à accueillir tous les départs, tous les étonnements.

Le savoir intime, incrusté dans un corps et dans une âme, dépend d'un mode particulièrement sensible d'appréhension. En desserrant la raison totalisante, l'écriture en arrive à se lâcher elle-même, à laisser sourdre le fond musical, pulsionnel, de la langue, allant vers cette région souterraine de la sonorité où le sujet divisé se révèle dans ses dépendances à la tradition, ses attachements dissimulés, ses déchirements porteurs de rencontres encore inadvenues. La démarche créatrice mise sur la qualité réceptive de l'écrivain : c'est à lui, en éprouvant la nullité des contraintes et des illusions, de tracer son propre chemin. Un travail d'une telle envergure appelle une exploration du sens du monde et du monde du sens, une souveraineté qui ne s'accroche à rien, mais plutôt s'arrache aux raisonnements du territoire pour décortiquer la combinatoire psychique de ses propres paroles. On sait, depuis Freud, que cette combinatoire relève principalement de la mise en œuvre de la censure et du refoulement. Le mécanisme de la répression sociale tire ses origines sournoises de l'emprise du connu dans la tête de chacun, emprise qui emprunte ses traits à la paternité toute-puissante (nous verrons plus loin comment pour nous, au Québec, un glissement vers le maternel s'est opéré). Il sert à absolutiser un mode déterminé d'existence, nous protégeant par sa froide intelligence des menaces émanant de l'extérieur. Une auto-répression vient donc prêter main-forte à une répression sourdement admise au nom du bien commun. Elle s'enchevêtre à un blocage émotif, à une incapacité d'attester nos peurs, de démanteler nos préjugés, de nous dépouiller de nos attentes, nous empêchant ainsi de déchiffrer nos agressivités qui nous conditionnent depuis l'enfance.

C'est au principe même d'autorité ici que je m'attaque, à la force cristallisante de ses limitations. Ce n'est qu'en se débarrassant de la niaiserie des ancêtres, du culte de la Nature, de la théologie du Progrès que l'être réintègre son ultime vérité qui est celle de son désir. Ce désir, qui alimente une soif de connaître, ne peut accéder à la grande flambée d'une œuvre sans surmonter la répression initiale psychiquement incontournable, socialement utile, spirituellement désastreuse. Que l'opération d'enfermement idéologique soit réconfortante pour une âme soumise aux convenances de la communauté, voilà qui nous indique combien la difficulté à s'en défaire reste grande. Toute transgression de la part de l'être-en-commun ne peut se vivre que douloureusement pour celui qui fusionne. Une telle épreuve implique donc une phase de régression éprouvante, moment de gestation nécessaire pour comprendre notre détresse et renaître à nouveau. Un tel combat ne s'avère jamais acquis une fois pour toutes, il relève d'un défi sans fin relancé au besoin réconfortant de programmes et de clôtures. Se distancier de son intériorité historique provisoire, voilà la tâche que nous ne devons pas perdre de vue. Encore une fois, il faut s'en remettre au principe d'incertitude, processus d'affranchissement de l'écriture qui débouche sur une polysémie vitalisante. L'intégrité d'une si déstabilisante aventure peut d'ailleurs se rendre jusqu'à la présence nue de l'indicible, avançant sur le terrain à la fois riche et obscur de la poésie.

Marqué par une idéologie, le désir blessé, en s'identifiant avec plus grand que soi – un pays, une nation, une race, une classe, un projet –, devient une forme d'expansion du moi plein de lui-même, un moi qui trop souvent surmonte artificiellement des problèmes acceptables qui en masquent cependant d'autres plus profonds. Les tenants d'un déterminisme sociologique – qui serait le seul habilité à cerner la cause de nos actes – ne pourront jamais admettre la soif libre des créateurs, ces êtres insurgés qui nous laissent le témoignage d'un périple à l'intérieur de la forme humaine, avec dans la bouche les inflexions d'un espace-temps d'avant toute loi, toute foi, toute hiérarchie; traversée des frontières qui ouvre les fenêtres de la mémoire afin de sonder les rouages mythiques de la communication. C'est le privilège d'un esprit libre, un esprit allergique aux sentences de l'autorité (pauvre fantasme d'avoir toujours raison!), de nous jeter au sol, d'ébranler le rituel du symptôme, de faire place à un épanouissement s'inventant en dehors de la forteresse obsédante des idées. C'est le privilège d'un esprit qui échappe au monde du spectacle généralisé de pouvoir prendre un recul afin d'envisager les désillusions de son époque.

Le véritable mérite des artistes consiste à sensibiliser la conscience au champ des impudeurs neuves, des conquêtes paradoxales; soutenir une redécouverte de ce que nous sommes avec *et* malgré l'histoire qui nous a précédé. Le passé, faut-il le répéter, relève aussi du domaine des représentations; trésor inestimable, soit, mais à ne pas confondre avec le foisonnement de la vie matérielle. Au lieu de se cramponner névrotiquement à la projection d'un passé ou d'un avenir officiel, au refoulement raté d'un manque existentiel (qui lui, tôt ou tard, se venge de sa propre misère et provoque son lot d'intolérances, de malheurs et de folies), pourquoi ne pas oser dire ce qui n'est pas à dire? Pourquoi ne pas aller désenfouir ce qui se cache derrière l'action, région ombrageuse où se condensent les non-dits de notre conservatrice tradition canadienne-française? Pourquoi ne pas brûler de cette lumière sans origine qui vient du dedans et souligne les aspects prodigieux de millions d'univers irréductibles les uns aux autres? La lucidité du déséquilibre sous-tend notre introspection exacerbée. Elle fait de l'être une cause qui ne vit ni ne meurt pour aucune croyance, qui le met en dialogue avec ce qui lui résiste, qui le rend à ses exactitudes. Jointe à l'intelligence du cœur (qui peut fort bien investir le champ théorique, mais ne s'y réduit pas), cette indiscipline nous fait aborder des questions inséparables de notre fragilité, nous indique le sens important de l'opposition au mensonge, à la haine, à l'inculture qui va croissant.

Comme vous le voyez, nous sommes loin du réflexe de convaincre à tout prix, d'unifier, d'enrôler en vue d'en arriver à une fin quelconque. Il faut, au contraire, désamorcer avec la plus extrême légèreté les énormes appareils de contrôle, aux intérêts mercantiles obstinés, qui endiguent les singularités et leurs passions d'autonomie dans le circuit de la consommation passive. Il est capital, si nous voulons préserver l'espace intact de l'expérience, de soustraire l'individu à la lignée ruminante de la tribu, d'en arriver à renoncer au paradis d'un pays toujours à venir et de continuer à parler quand même; réclamer le droit à l'erreur et à l'errance, redonner aux mots amour, beauté, dépense, ressac, nouveauté, leur charge de transformation merveilleuse. Ce n'est qu'à l'intérieur d'une certaine dépossession, une certaine offrande de soi-même, que l'on peut apprendre le frémissement de la pensée, puisque (se) connaître implique le sentiment du jeu qui démystifie ce que nous avions cru trop rapidement maîtriser. Alors la hantise de reconnaissance, d'acceptation, cède la voie à l'esprit curieux qui se rebelle.

Soudain, par un renversement radical des conventions, nulle part interroge l'horizon (il n'y a plus d'horizon),

nous fait voir notre incomplétude pleine de ressources
insoupçonnées. Le battement de la vérité puise son énergie d'un ailleurs en marge des lois naturelles de la psychologie, il balaie l'identification aux formes générales
se coagulant en une langue parfaitement morte. Il y a
sans fin un passage, une voie royale pour l'inspiration,
une division qui embête notre paresse intellectuelle,
notre goût superstitieux du confort et de la formule. La
faculté d'embrasement de la mémoire ne cesse de faire
enrager les enracinés, de nous révéler les retentissements
de notre altérité magistrale; sans quoi, on ne côtoie plus
que des objets monnayables, des cerveaux conformes,
des réflexions trafiquées. Pour un écrivain, une sembla-
ble ingénuité n'a bien sûr rien de commun avec les écoles, les thèmes, les points de ralliement, si «modernes»
soient-ils. La nécessité intérieure comme premier souci
de l'art... L'isolement qui emmerde tous les carcans du
groupe... L'autorité sans but de l'attention poétique...
N'est-ce pas beaucoup plus qu'une adhésion au bon parler français, si fièrement québécois soit-il?

La raison nationaliste actuelle se trouve émotionnel-
lement liée au modèle messianique de nos ancêtres. De
nature eschatologique, elle coïncide avec l'attente d'un
royaume qui réalisera notre salut collectif. Le nationalisme québécois (qu'il en soit conscient ou non) adhère
à l'idée d'un retour aux origines purement françaises
d'avant la Conquête, à l'identification avec un peuple
imaginaire qui nous fascine par la nostalgie de son image fusionnelle. Il s'appuie donc sur le mythe d'une communauté perdue à retrouver ou à reconstituer[1].

---

1. Une telle utopie, il va sans dire, a du mal à se concilier le cosmopolitisme d'une ville comme Montréal. Lieu de croisement des
cultures étrangères, lieu conflictuel aux équilibres linguistiques

Le nouveau sacerdoce politique, nourri de la référence constante aux saints patriotes, et malgré les démons du désenchantement et de l'insécurité sociale florissante, demeure d'autant plus efficace qu'il est soutenu par la faiblesse complaisante de notre intelligentsia, elle-même convaincue de la rédemption annoncée. La doctrine qui polarise les forces en présence se développe autour d'une sacralisation de la langue qui, peu importe ce qu'elle recèle de méconnaissances, se drape dans les mythologies d'un passé légendaire et d'une future épopée collective. Ce dispositif de promotion permanente de la légende facilite notre communion romantique avec le peuple des défunts. Les tenants de la moralisation folklorique de la culture – nos volontaristes de la littérature vite transformés en agents électoraux – manœuvrent discrètement, impatients qu'ils sont de se livrer à ce que les fonctionnaires de la langue attendent d'eux. Ils abdiquent ainsi en bons soldats le rôle foncièrement critique qui leur incombe; ils ne méditent point sur la chance qui s'offre à l'écrivain de pratiquer une multitude d'appartenances; ils condamnent plutôt cette liberté accrue d'un homme détaché, sans gêne et sans honte, qui s'émancipe des plus misérables raisons qu'il aurait d'obéir et de se taire. L'avènement à la dimension plurielle, incoercible, absolument autre de l'être – dont les politiciens, les scientifiques *ne peuvent strictement rien nous dire* – nous indique que la conscience est l'épreuve de celui qui accepte de se voir coupé du fantasme de mainmise sur le temps, qui se laisse habiter par un

précaires, Montréal est devenu un enjeu hautement symbolique pour l'ensemble du Québec. Ses performances économiques, pour le moment désolantes, nous laissent deviner des lendemains assez peu enviables.

travail senti des idées, étranger aux prétentions globalisantes des discours. La conscience (alternance qui me déroute et me restitue à moi-même) ne peut en aucune façon s'asseoir sur une Histoire idéalisée, construite et reconstruite selon les astuces partisanes de l'heure. La mise en scène d'un héritage judicieusement sélectionné relève d'une réthorique qui fonctionne comme un refuge pour les identités malheureuses en mal d'un Maître devant lequel on ne peut que se prosterner. Les éléments de transgression des limites se retrouvent alors automatiquement assimilés à un crime de lèse-majesté envers le peuple, bloc monolithique et sanctifié qui préfère, bien entendu, le sacrifice aux revendications du sentiment vif.

Eh bien, ce petit livre du début des années 80 n'amorçait rien d'autre qu'une mise en lumière des certitudes faciles qui continuaient de flatter nos intentions savantes affectant la forme d'une mission, voire d'une fatalité. À la volonté de puissance de l'être collectif, il opposait l'exigence vitale et singulière de la passion. Je savais évidemment, à l'époque, les fortes résistances que susciterait ma critique du poète Michèle Lalonde, membre honoré de la grande famille poétique québécoise. Mais bien que croyant viser juste, je restais tout de même sous l'influence d'une autocensure qui faisait de moi une victime consentante de ce familialisme solidifié par des personnalités aux idées imprescriptibles. Qu'il s'agisse, entre autres, d'Hubert Aquin et de Gaston Miron, ces noms majeurs de notre littérature contemporaine, ne pourra guère étonner personne. Célébrés par le milieu littéraire, consacrés par l'institution universitaire, ces deux écrivains commandaient l'adhésion spontanée, voire le silence admiratif. Mais pourquoi avoir évacué les prises de positions conceptuelles de ces hommes ouvertement nationalistes? Manque de courage?

Peut-être. Méconnaissance des présupposés idéologiques de leurs visions littéraires? Sûrement.

La découverte du *Journal* honni de Jean-Pierre Guay, la portée scandaleuse de sa critique du nationalisme réducteur qui fait de la cause politique de l'indépendance du Québec un corollaire obligé de l'activité de l'écrivain «consciencieux» et «progressiste», n'est sans doute pas étrangère à ma décision de briser le mur du silence. L'unanimité béate qui accompagne l'édification d'une littérature nationale aura donc été un obstacle chargé d'émotions que peu d'entre nous aurons eu l'audace de franchir. La peur de l'opinion publique, de la réprobation générale, des relations neuves (ça vous rappelle quelque chose?); cette peur d'être seul sans Dieu qui traduit de tout temps une crainte du vide, de la mort, de l'inconnu, de notre «animalité précieuse, exemplaire» (*Projections libérantes,* 1949) allait, ironie du sort, inconsciemment se glisser sous le discours revendicatif de nos intellectuels engagés. Que ces attitudes de cramponnement ou d'angoisse devant les fissures de l'être et du temps ne puissent jamais être définitivement surmontées, voilà ce qu'il faut poser en partant, si nous ne voulons pas à notre tour tomber dans le leurre idolâtre d'un Sens de l'Histoire identique à nous-même et à la fonction de représentativité qu'on lui prête. Notre plus terrible handicap est de ne pas voir qu'incessamment nous omettons quelque chose, bien que nous voulions tout savoir; d'occulter les passages dissonants au profit d'une fascination pour l'image maternante et nourricière de l'origine. C'est donc contre «des positions réputées inattaquables» (Borduas, *Projections libérantes*) que je me dois aujourd'hui d'opposer une éthique de la dissidence, quitte à déplaire à ceux qui s'accrochent religieusement à l'impératif catégorique d'une rédemption nationale appréhendée.

Un texte du romancier Hubert Aquin, «La fatigue culturelle du Canada français²» [1962] a donné à la ferveur
nationaliste sa formulation philosophique la plus consis-
tante. Prenant prétexte d'un article de Pierre Elliot Tru-
deau («La nouvelle trahison des clercs», dans *Cité libre,*
n° 46, avril 1962) où celui-ci s'efforce d'amalgamer de
façon un peu hâtive la réalité des guerres à l'émergence
des nationalismes contemporains (alors que, bien sûr, la
violence qui nourrit les guerres s'engramme en partant
au cœur même de la dimension humaine de l'être), Hubert Aquin postulera la thèse qui servira de leitmotiv à
l'écrivain québécois de la modernité. Après avoir élaboré
sur les conséquences néfastes de l'exil courageux de nos
écrivains à Paris – partis là pour y chercher leur consécration ou du moins leur possible épanouissement – Hubert Aquin explique : «le déracinement, générateur
inépuisable de fatigue culturelle, ou l'exil, le dépaysement, le reniement ne libèrent jamais tout à fait l'individu de son identité première et lui interdisent en même
temps la pleine identité à son milieu second. Privé de deux
sources, il se trouve ainsi doublement privé de patrie
nourricière : il est deux fois apatride, et cet orphelinage,
voulu puis fatal, même s'il ne se traduit pas par une irré-
gularité consulaire, est un ténia qui ronge, tandis que l'enracinement, au contraire, est une manducation constante,
secrète et finalement enrichissante du sol originel» (p. 94).
Son apologie de l'enracinement, outre qu'elle dévalorise
de façon primaire les déchirantes épreuves de rupture, de
séparation, d'absence ou d'exil – moments éprouvants où
l'être se retrouve en manque d'amour, de liberté et de
certitudes – semble du même coup reconduire le mythe

2. Hubert Aquin, *Blocs erratiques*, Montréal, éd. Quinze, 1977.

d'une «identité première», pleine et suffisante. La passé historique qui la génère en devient l'intercesseur sacré, et ne se distingue plus en rien de la conscience sensible de la personne en tant que telle. Thèse qui pose l'anachronisme entre la conscience défectueuse du Canadien français et son identité historico-nationale vraie, immanente, comme la cause absolue d'un sentiment d'infériorité culturelle.

À ce «mal d'une plus grande homogénéité» (p. 82) qui engendra le séparatisme, se joindrait notre comportement psychologique de minoritaire nous déréalisant jusqu'à «l'auto-punition, le masochisme, l'auto-dévaluation, la dépression, le manque d'enthousiasme et de vigueur» (p. 88). De tels états d'âme montrés comme la résultante d'un dédoublement sociopolitique s'avèrent, en tant que fonctions déréglées de l'espace subjectif, des défaillances psychiques ou des réactions morales qui concernent tout individu qui naît, respire et meurt sur cette terre; d'autant plus que de récentes recherches tendent à démontrer que certains comportements psychiques sont avant tout déterminés par des causes de nature génétique. Que les Québécois soient aux prises avec une conjoncture historique complexe, économiquement pénible et culturellement incertaine, ne doit surtout pas leur laisser croire qu'une fois ces difficultés réglées, grâce aux vertus égalitaires d'une souveraineté étatique, ils baigneront enfin dans l'homogénéité équilibrante tant souhaitée. L'équation mécaniste entre l'histoire d'un peuple et l'existence d'un individu relève d'une aberration intellectuelle à laquelle nous continuons de souscrire, cela sans doute afin de ne pas franchir le seuil où notre identité malheureuse devrait faire face à ces peurs existentielles et à une non moins grande misère symbolique impuissante à donner à la langue ses pulsions initiales par la reconnaissance d'une coupure fondatrice. Nous demeurons incapables de porter la perte d'un sens, de guérir en profondeur d'une fixation sur notre troublante défaite de 1837-1838, ou encore de saisir avec acuité les enjeux de la crise de civilisation qui secoue présentement la planète (surtout lorsqu'on voit que dans le nouvel ordre mondial, les États-nations sont de plus en plus interdépendants et ne servent plus qu'à promouvoir la froide logique où l'hégémonie économique l'emporte sur l'équité sociale). Fusionnés à la Grande Famille, nous balbutions sur place, pressés plutôt de donner nos commentaires sur les hautes stratégies et les petites mesquineries des luttes internes de pouvoir. Nous manque la libre pensée qui risque, qui innove, qui choque, suscitant l'analyse des contradictions précieuses dont nous avons besoin pour nous développer. Et pourtant, si nous regardons bien, la multiplicité originale qui nous distingue existe, et ce, malgré le discours idéologique qui en limite les conséquences radicales sur l'image idéalisée que nous avons de nous-mêmes.

Qu'Hubert Aquin – après avoir parfaitement compris que «les peuples n'ont pas d'essence», qu'ils sont «ontologiquement indéterminés, et [que] cette indétermination est le fondement même de leur liberté» (p. 80); après avoir énoncé que la pensée «réduite à une tendance ou une école, [elle] se trouve dépossédée de toute efficacité dialectique» (p. 69) et senti que le problème est «d'assumer pleinement et douloureusement toute la difficulté de son identité» (p. 96) – ramène de manière obsessive la difficulté d'être à l'appartenance ethnique à un groupe maltraité ne peut que nous étonner. Car sa conclusion s'avère un raccourci fulgurant qui élimine l'histoire

singulière du sujet, une prétention totalisante qui nous
fait déboucher en pleine spéculation sociopsychologi-
que, la pensée se pliant sans trop se l'avouer aux exigences partisanes du politique. Cela donnera, par
exemple, une interprétation pour le moins surprenante
de l'œuvre de Joyce. Déguisé en patriote irlandais, voilà Joyce traducteur d'«une expérience douloureuse et
passionnelle d'enracinement», en train de nous livrer son
«Irlande natale qui se dévoile» (p. 95), ce qui équivaut,
pour ceux qui *entendent* l'explosion baroque de l'œuvre
joycienne, à un pur et simple *contresens*. C'est toute la
vision téléologique de l'Histoire, toute la construction
sociale, nationale et rationnelle de l'espèce que Joyce
s'emploie à parodier, décortiquant les symptômes d'une
misère sexuelle refoulée et de croyances ancestrales
encore agissantes à travers les impasses du désir. La mère
patrie de Joyce (plus spécialement la ville de Dublin) se
comporte en personnage principal de son écriture; son
écriture, elle, ne se veut le personnage de personne, et
surtout pas de son Irlande conservatrice et puritaine!
L'écrivain se doit de désamorcer les pièges censurants
de sa langue maternelle s'il veut avancer dans la connaissance de lui-même et de ses semblables. Il n'a donc
pas à attendre l'unité mythique d'un groupe pour faire
l'expérience d'un je autonome, avec ses rêves, ses passions, ses erreurs, ses angoisses, ses chimères. L'universel ne dépend nullement de la volonté consciente du
particulier pour se faire valoir. L'universel est une affaire d'être, pas une affaire de temps. Intemporel, extérieur à tout chemin, tout lieu, toute intention, il agit avant
même que nous puissions le rationaliser. Dans le cas contraire, les conditions pour y accéder risquent fort de se
confondre avec la police d'une conformité nationale qui

s'universalise au nom du «bon parler français». Mais la fierté d'un esprit qui connaît la richesse de sa sensibilité et qui met la curiosité d'apprendre au centre de sa vie, n'est-ce pas là plutôt la condition primordiale d'un bonheur réel dans un pays sans finalité, et généreusement imaginable?

La thèse globalisante à consonance ethnique, toujours pleine du «bon sens» de ceux qui travaillent à la justification commune du mal de vivre, sera reprise de façon similaire par le poète et militant nationaliste, Gaston Miron. Elle s'appuie invariablement, malgré le raffinement pluraliste qu'on lui suppose, sur un mimétisme de la représentation symbolisant l'existence de tous à l'intérieur de chacun (on sait, par ailleurs, toutes les contorsions qu'on devra lui faire subir pour y inclure l'éclatement moderne de la conscience jugeante). Thèse en partie inspirée par la philosophie de la décolonisation d'Albert Memmi et de Frantz Fanon, selon laquelle il n'y a de salut que collectif, salut explicité par le modèle mystique de la fusion entre l'individu et sa tradition historique.

Dans son *Recours didactique*[3], Gaston Miron prend d'ailleurs ses distances avec le *Refus global* : «Indépendamment de certaines intentions qui l'inspirent et que je ne partage pas d'emblée, ce manifeste est une date» (p. 93). Bien que ces réticences ne soient pas explicitées, nous pouvons dire sans crainte de nous tromper qu'elles se heurtent à l'antinationalisme de Borduas, à sa conception non représentative de l'expérience artistique qui conteste toute autorité idéologique. Témoignant de sa misère psychique, le poète n'hésite pas à expliquer sa difficulté

---

3. Gaston Miron, *L'Homme rapaillé,* Montréal, Presses de l'Université de Montréal, 1970, p. 90 à 130.

d'être à partir de la théorie du colonialisme : «Quand j'eus commencé de me percevoir tel que j'étais objectivement, toute une part de ma réalité existentielle et concrète ressortit au phénomène colonial» (p. 114), appuyant ainsi la thèse d'Hubert Aquin «le seul qui en était venu là [...] dans des textes irréfutables» (p. 116). Dans sa lutte pour la prise de conscience nécessaire à son peuple, Miron dénigrera comme réactionnaires ceux qui restent «enfermés dans la position exclusivement individualiste, caractéristique dominante de l'idéologie bourgeoise» : «Cependant les contradictions s'amoncellent pour les individualistes comme pour les assimilés. Devant l'émergence de l'authenticité et de l'efficacité retrouvée où ils se durciront et apparaîtront de plus en plus comme réactionnaires. Ou ils dépasseront leur réalité subjective en se reconnaissant solidaires de tous» (p.121). Porteuse de son «âme de peuple» (p. 124), la fonction du poète semble donc subordonner son expérience singulière aux impératifs politiques de sauvegarde et de libération de sa communauté menacée; elle peut dès lors représenter la réalité de «l'homme carencé» d'un phénomène colonial, «celui qui a souffert dans sa chair et son esprit d'une situation collective» (p. 120).

Hubert Aquin ne manquera pas de souligner le caractère collectif de cette souffrance : «Au-dessus, et bien au-devant de moi, je place par exemple un Gaston Miron dont la vocation exemplaire a je ne sais quoi de fracassant et d'absolument merveilleux. Lui, tel qu'en lui-même, c'est notre Christ... et je crois lui rendre hommage en disant que son nom constitue, de plus en plus, un blasphème extraordinaire...» («La mort de l'écrivain maudit», dans *Blocs erratiques, op. cit.*, p. 149). La vision christique du poète rend inquestionnable sa vocation douloureusement symbolique, tâche qu'il assume pour contribuer à l'émancipation de sa Nation. Cette individualité universelle qui prend sur elle l'aliénation de son groupe prête ainsi à une condition natale idéalisée la forme d'un droit familial (national) imprescriptible. Le retournement de la parole poétique extérieure à toute norme, la possibilité d'un arrachement en-dehors de l'enceinte rationnelle moralisante, cède la place à la volonté militante de représenter son époque à partir d'une légalité consciente d'obédience nationaliste. Se trouvent rapidement exclues l'exigence poétique d'un ailleurs au sein de la langue elle-même, l'affirmation d'un inconnu hors de tout lieu et de toute race et présent au cœur de chaque être.

Dans ce rapport identificatoire qui les rend captifs de leur appartenance ethnique, les suivistes se liguent en une foule docile de «nous» parlants, gage d'authenticité de la logique identitaire. Transmission du projet héroïque, extase en commun sur le dos d'un bouc émissaire, impression de force de l'indifférenciation tribale qui mène tout droit à l'esprit de clocher. Désormais soumis aux prérogatives de sa langue et de sa race, le militant peut dénigrer l'individualisme instable, faire de l'universalisme auquel il aspire une preuve d'enracinement! L'enveloppement maternel de la thèse va ainsi bercer l'ensemble du milieu littéraire québécois, idéologisant jusqu'à la très patriotique direction de l'Union des écrivains québécois[4].

---

4. Le travail remarquable de l'Uneq n'est malheureusement pas sans failles. Après avoir effectué un sondage par courrier concernant le référendum de 1995, l'Uneq a déclaré que la majorité de ses membres étaient de bons souverainistes. En réalité, seulement 47 % de ses membres ont répondu à l'appel, dont 71 % pour le oui. Voilà un exemple des méthodes partisanes dont certains de nos responsables

Au-delà d'une exaltation du mythe, nos blessures comme nos joies – si nous avons encore un peu de mémoire et de culture – ne cessent de nous montrer que l'écart entre la vérité de l'être et les mouvements de l'Histoire reste toujours ouvert. Lucidité d'un inconnu essentiel, d'une incomplétude désirable, que l'immaturité de nos élites s'évertue à ne pas reconnaître, se satisfaisant plutôt d'une généralité sociopolitique de type binaire (libération souverainiste / oppression fédéraliste, authenticité indépendantiste / individualisme bourgeois) qui, en tant qu'explication magique de nos malheurs, attire à elle en l'édulcorant toute autre espèce de réflexion disposée à l'analyse. Alimentant le sentiment euphorique de former une grande famille unanime, notre littérature en mal de racines est demeurée farouchement centrée sur son illusion de pureté identitaire, réduisant les mouvances de notre altérité au défaut temporaire d'une nature québécoise en son essence inaltérable. Pourtant, c'est en développant une réceptivité aux influences extérieures – les assimilant, les transformant, les répercutant – que notre créativité a eu et aura les meilleures chances de sortir du courant nostalgique et arrogant qui veut à tout prix avoir raison du cosmopolitisme et de sa liberté d'esprit. Il en va du caractère désintéressé de la littérature qui met de l'avant l'autonomie spirituelle de la personne.

Aussi, les représentants de notre Révolution tranquille auront eu la victoire aisée. En bons disciples, cette fois, de notre Décomposition tranquille, leurs successeurs ne savent plus que promouvoir le dogme capitaliste de la production et de la performance dont les avantages ne

ne sont pas indemnes. Lorsque l'idolâtrie politique l'emporte sur la probité éthique, c'est toujours aux dépens d'une vérité sans réserves.

profitent qu'à des groupes très ciblés (nous pensons surtout ici au réseau des grandes compagnies et au pouvoir des banques et du monde de la finance). Notre pseudo-révolution aura fait dire à un écrivain comme Yvon Rivard que «Nous prenons notre ferveur pour de la lucidité, nos partis pris pour des risques, nos choix pour des solutions[5]». Nos brillants raccourcis imaginaires passent alors tout bonnement à côté de nos déchirures les plus graves, là où s'éprouve concrètement la proximité de l'être et du non-être, là où la pensée en train d'émerger se fait disponible, problématique, inexcusable. Quand serons-nous assez mûrs pour accueillir chaque personne et chaque événement comme autant de rêves fixes que nous poursuivrons et auxquels nous chercherons à nous ajuster? La pensée en acte, qui constitue notre apprentissage charnel d'un langage vivant, actualise une interminable réappropriation de nous-même; suscite des états d'incrédulité sans image et sans mot, états qui nous rapprochent du visible même si nous restons aux prises avec notre part manquante, déficitaire, insaisissable, celle qui, paradoxalement, fonde notre humanité. Sol mouvant d'une présence mettant en contact énergie sensible et attention directe... Jouissance *(nous sommes cet espace)*

---

5. *Le Bout cassé de tous les chemins,* Montréal, éd. du Boréal, coll. «Papiers collés», 1993, p. 184. «Oserais-je l'écrire? Le piétinement de l'indépendantisme est directement relié à notre immaturité psychologique et intellectuelle. Nous avons la libération facile, d'où notre impuissance chronique et nos révolutions tranquilles. Nous consommons les idées, les problèmes et les luttes avec une rapidité déconcertante, c'est-à-dire que nous en changeons dès qu'ils deviennent insolubles, atteignent la solidité inébranlable du mur. Cette mobilité évidemment se donne pour la plus haute lucidité», (p. 186).

qui exauce la nature irradiante du souffle... Rythme indispensable et inutile pour atteindre la clairvoyance du cœur... Contemplation qui, dans son innocence reconquise, nous laisse deviner qu'un jour nous aussi, nous aurons la curieuse consistance de nos ancêtres, ou mieux (mais puis-je l'affirmer sans dénouer un lien absolu?), que nous sommes déjà maintenant nos propres ancêtres... Expression de soi capable de gaspiller la dette instituée de l'orthodoxie bien pensante... Espace intérieur considérable, vide de finalité, de sorte qu'une fête désinvolte puisse l'emporter sur les spéculations asservissantes d'un retour à l'unité originelle.

Le désespoir lucide dont nous parle Yvon Rivard, le fait pour un sujet de distinguer une brèche, un manque, une béance, doit être intégralement reçu si nous voulons commencer à assimiler nos chances de renouvellement. Et c'est en premier lieu le fond de croyances qui étouffe les virtualités d'un soulèvement impalpable qu'il m'apparaît important de déconstruire. Laisser l'apparence de tous les biens périssables s'abolir... Expérimenter le vertige d'une irrévocable et bouleversante prise de conscience de la mort... Consentir à une solitude qui regarde trembler les arbres et nous délivre... Ajouter à la capacité d'aimer les autres pour eux-mêmes... Sans l'épreuve de l'invisible, sans le dévoilement du point aveugle où projections et obligations deviennent complices, nous demeurons les otages d'une mystification qui sommeille derrière la moindre de nos paroles. Ce n'est qu'en devenant un facteur de troubles, en brisant le miroir paralysant de l'insincérité, que l'on peut adhérer à l'immensité gratuite de sa claire différence.

Ce fond religieux, catholique, s'inscrit chez nous à l'intérieur de la tradition janséniste, tradition qui met l'accent sur une prédestination en devoir d'annuler liberté, autodétermination, spontanéité de l'individu. Le Dieu sévère qui en résulte fige les âmes dans la crainte servile de la punition, culpabilité allant jusqu'à nous initier à la torturante maladie des scrupules. Plaisir interdit qui, en se renversant, provoque la répulsion devant l'effacement des limites; version ancienne des névroses contemporaines, haine secrète retournée contre soi et qui étouffe en soi l'angoisse insupportable de tuer le Père-Mère tout-puissant. Mais faites bien attention, l'affaiblissement de cette religion de la peur à partir des années soixante ne signifie en rien son éviction. Disons que notre catholicisme étroit a pris depuis lors des voies plus rationnelles, plus laïques pour se faire servir. Si le sentiment d'appartenance à une structure familiale tente de se résorber en sensation, si notre fameuse liberté sexuelle s'arroge les privilèges de la conscience en rendant supposément caduque toute intériorité, la personne dite autonome, elle, n'en réussit pas pour autant à solutionner en profondeur la peur obsessive (infantile) de la séparation sans retour. La prégnance maternelle garde la forme d'un lieu interdit – lieu d'exil, lieu sans point d'ancrage – où le sujet touche le vide de l'absence et s'affole devant la remontée de ses vieilles émotions. Comment ici ne pas songer à notre passé littéraire qui a tenté, avec d'énormes difficultés, d'échapper à la faute de vivre : tableau noir des restrictions morales qui condamnent sans appel nos plaisirs culminants et nos écarts de conduite? Un classique comme *Le Torrent* d'Anne Hébert (Montréal, éd. HMH, coll «L'arbre», 1967), cerne de près la relation de soumission / rébellion d'un enfant avec sa mère omnipotente. Cette mère demande à son fils de s'imposer des mortifications, de s'endurcir, de ne s'abandonner à aucun prix, de ne jamais perdre son temps. Et voici formulée la clef du problème : «Fidèle à l'initiation maternelle, je ne voulais retenir que les signes extérieurs des matières à étudier. Je me gardais de la vraie connaissance qui est expérience et possession.» Ainsi le fils se mesure au néant de son existence, à son incapacité de savourer sa joie. Il décode les signes de sa fausse science, de sa servitude, et sent monter en lui la révolte. Il a pensé à contredire ce dieu féminin, mais une phrase obsédante continue de hanter ses nuits : «Tu es mon fils, tu me continues.» Alors s'étend le champ de la dévastation, la crainte de son intelligible liberté. Puis, vers la fin de la nouvelle, une vision se dessine pour lui qui regarde dans les yeux de sa mère : «Je me penche tant que je peux. Je veux voir le gouffre le plus près possible. Je veux me perdre en mon aventure, ma seule et épouvantable richesse.»

L'essence de notre catholicisme m'apparaît beaucoup plus nettement aujourd'hui comme une traduction païenne du christianisme. Promotion d'un culte fusionnel à la Mère qui vient noyer la portée radicale de la révélation de la Parole du Père; projection nivelante d'une image parentale intériorisée où la mère joue tous les rôles face à un père absent ou dominé. Universel par définition, se consacrant à l'autre devant nous parce qu'en nous, fondant le rapport temporel, discontinu, pluriel, entre le réel et notre propre existence, notre catholicisme aurait eu tendance à relativiser le pur amour désintéressé du Dieu vivant. Favorisant la mortification pour elle-même (le célèbre esprit de sacrifice qui gomme les précieuses révoltes), honorant l'attachement pervers à la souffrance, ne cessant d'implorer les morts, cette doctrine dépourvue de spiritualité aura voulu ignorer en quoi la discipline du renoncement n'est qu'un instrument pour se rapprocher du bonheur d'être soi-même dans un monde en perpétuelle mutation. Sur le plan philosophique, le singulier devra se réduire à un universel rigide pour plaire à Dieu, alors qu'en vérité il n'y a pas à dépouiller le singulier pour rendre effectif l'universel, cette fois-ci *rayonnant*. Le singulier est de soi intelligible, il ajoute à la nature commune et universelle de par son unité à la fois une et divisible. De là son branchement sur l'infini, de là son aspiration à la liberté qui implique qu'on consente à recevoir en être sensible la re-création du monde au jour le jour. Aucun déterminisme ne peut supprimer l'énigme de l'intériorité opérante dans son absolue gratuité et sa volonté de transformer ses représentations comme ses conditions d'existence. La divinité inexprimable acquiert une énorme importance existentielle. Elle impose à tout langage rationnel ses limites, elle réclame de nous la troublante et convulsive métamorphose des actes créateurs. En marge des appareils de réglementation, une réceptivité critique endosse les ouvertures subversives de celui qui lutte pour ce qui n'est pas encore. Notre catholicisme, lui, se serait frileusement replié sur l'image d'une mère protectrice, omnisciente, venue sceller notre dépendance à son égard. Il aurait négligé le fondement toujours actualisé de la présence du Christ, présence par laquelle chaque âme est interpellée comme réellement une mais virtuellement multiple, principe de notre impossible coïncidence avec la réalité même. Et pourtant, j'insiste, ce Dieu abstrait, irreprésentable, a été originellement conçu comme un mystère, l'inépuisable mystère de la Sainte Trinité. Attardons-nous un instant sur cette question apparemment incongrue.

Par une opération d'interminable expiation, le Québec a versé très tôt dans l'adoration du maternel. Au triangle

Père / Fils / Saint-Esprit se serait inconsciemment substitué le triangle Père / Fils / Vierge Marie, glissement en douce faisant de la Vierge Marie une humanisation de l'Esprit saint, et qui s'accompagne d'un attachement strictement émotif à la nature humaine du Christ. Ce type de remplacement régressif marque la victoire rigoureuse d'une gigantesque culpabilité qui va tenailler les consciences de générations entières.

Dieu comme Être infini, Dieu comme Raison de tout être, trouve sa personnalité dans sa relation de génération active avec le Fils, ce dernier trouvant à son tour sa personnalité dans sa relation de génération passive avec le Père, alors que le Saint-Esprit est la Personne constituée par la relation d'amour du Père et du Fils dans l'unité d'une mutuelle donation[6]. L'incarnation du Fils se fait par l'Esprit-Saint, sa mère vierge en devenant ainsi le témoin sanctifié, prenant part à la venue de Dieu sur terre sans pour autant en être la Cause. Il est capital de comprendre que Dieu le Père n'est pas quelque chose qui agit, mais l'Action pure elle-même, dans l'unité consubstantielle avec le Fils et le Saint-Esprit. La substance divine, loin d'être statique, n'a pas à nous dicter notre destin, elle est ce destin lui-même à travers la reconnaissance de la libre conscience de chacun. Sa Perfection intrinsèque élimine toute image anthropomorphique du mystère, son Amour brille comme la plus haute force

6. Je m'en réfère explicitement à la thèse de Jean Duns Scot sur l'individuation. En vue de sauvegarder la richesse interne de l'être, le théologien exclut tout nécessitarisme. Il nous apprend que le muable est le résultat de la compénétration du fini et de l'infini, du créé et de l'incréé. Se gardant bien de voir le monde comme une conséquence découlant d'un principe, il revendique le potentiel d'initiatives du sujet parlant.

présente et sans limites qui soit. *Il crée la complexité du monde à chaque instant.* Je rapprocherai les curieuses associations de ce mystère de la fulgurante déclaration d'Antonin Artaud : «Moi, Antonin Artaud, je suis mon fils, / mon père, ma mère, / et moi; niveleur du périple imbécile où s'enferre / l'engendrement, / le périple papa-maman / et l'enfant» (*Ci-gît,* dans *Œuvres complètes,* Paris, éd. Gallimard, 1976).

Si vous me suivez bien, le Fils vient du Père grâce à un tel Amour qu'il nous lègue à son tour si nous savons le recevoir et le partager. Le libre arbitre demeure. Ce qui implique la capacité de provoquer la séparation définitive (symbolique) d'avec le corps de la mère, afin de renaître dans l'Esprit que le Fils et son Père nous ont apporté. Les exhortations à tout quitter en commençant par sa propre famille, à excéder toute langue et tout lieu pour suivre la voie du Père, sont sur ce point très claires dans les Évangiles. Alors il y a de l'imprévu, du contestable, de l'inhabituel, du non-planifié; nous pouvons faire ce que nous estimons, ce que nous désirons, sans éviter les tentations, les attachements, les erreurs, les défaites qui se renversent en autant d'occasions de réfléchir, nous remettre en question et avancer. Le *felix culpa* des chrétiens est là pour chanter la gloire du Mystère agissant. Déprise du règne captivant de la faute, l'*heureuse faute* devient une façon ingénieuse de s'opposer à la violence pétrifiante de la volonté de vengeance ou encore aux outrancières punitions du remords. L'être peut à nouveau respirer librement, les désirs peuvent recommencer à circuler sur les lèvres. Le conservatisme utopique de l'harmonie universelle, lui, poussé à l'extrême, débouche sur de l'idolâtrie : intégrisme et sectes diverses qui font de leur Maître un superordinateur qui a tout codifié, ou pire, un commandant d'armée auquel on doit se soumettre comme des pions obéissants.

Mais revenons à l'épineuse question de la virginité de Marie qui scandalise tant. On sait que le dogme de l'Immaculée Conception renvoie à l'absence de faute originelle, faute originelle qui illustre la perte de contact avec la grâce divine. Causée par le manque de confiance, l'orgueil du tout-vouloir-penser-savoir, cette faute originelle incite nos premiers parents à se couvrir les yeux devant l'invisible; elle les livre à une Histoire qui est la nôtre et qui n'arrêtera pas de s'écrire. S'imaginer pouvoir effacer le vertige de notre destinée approximative, hésitante, dissonante, n'est-ce pas une limitation de l'amour? Marie exige une élévation effective de la nature humaine au sommet de l'amour, nous montre qu'il n'y a pas de rapport humain en deçà du lien symbolique, un lien constamment en jeu, un lien qui passe par la présence réelle mais reste toujours médiatisé par la voix. La Loi du Père rend possible une alliance avec l'autre; elle nous interdit de dominer notre prochain au nom d'un amour étouffant ou d'une priorité sociale quelconque. En opposition à l'idolâtrie qui renforce les murs de la possession, l'agapé se donne avec un désintéressement total, alors que l'éros est avant tout enflammé par un vouloir préexistant.

La scène où Jésus (le «hors de sens») répond à une foule en disant que tous ceux qui sont assis en cercle autour de lui sont ses véritables mères et frères (Marc 3, 31-35) ou encore celle où Jésus sur la croix fait de son apôtre Jean le fils de sa mère (Jean 19, 25-28), dépeignent parfaitement cette élévation d'amour par l'Esprit. Le Christ est donc avant tout un signe de contradiction qui ouvre le sujet à l'accomplissement de *son* histoire : «Car je suis venu séparer le fils *de son père, la fille de*

sa mère, et la bru de sa belle-mère; et on aura pour en-
nemis les gens de sa propre maison» (Matthieu 10, 35-
38). Marie n'est pas simplement pure; en acquiesçant à
l'ange qui lui annonce qu'elle sera celle par qui Dieu
viendra au monde, elle se donne à la transcendance, elle
n'existe que pour et dans la gloire du Christ. Cet enfant
étrange aura été de toute éternité le père de sa mère, le
«Premier-Né d'entre les créatures», pour reprendre l'expression de saint Paul. Marie ne saurait sous aucun prétexte se substituer au mystère du Dieu caché. Idole
montée en effigie pour sacraliser le peuple des mères,
une telle entité primitive se voit d'autant plus adorée
qu'elle sert à boucher le trou béant par lequel l'Esprit
entre en résonance. La déesse mère, avec son attachement mystique à la terre, n'est là que pour occulter la
grandeur salutaire de toutes les morts : mort du corps,
mort de soi, mort de l'esprit. Sous l'angle psychologique, le triomphe de la mélancolie qui nous rattache à la
Figure divinisée ne peut manquer d'entretenir un lien
de fusion-confusion avec l'enfant qui sommeille en nous.
Celui-ci, en cessant d'être un prochain *égal en droit,*
s'agglutine symboliquement au corps maternel envelop-
pant, n'en signifie plus que son strict prolongement.

Nous sommes appelés à devenir des hommes et des
femmes en ressemblance parfaite avec leur propre nature, et non d'éternels rejetons, esclaves d'un temps linéaire qui vient les border, avec une sensualité déjà
contrariée, incapables de tout accès à la création et à
l'expérience intérieure. Les ressources suprêmes d'une
re-création continue du monde rejoignent ainsi les tur-
bulences et les magies de l'enfance; enfance qui sent
qu'en elle la noblesse met le sujet en connivence avec le
chant, avec la danse, avec lui-même; enfance qui, disant

oui à ce qui l'appelle outre-horizon, se moque des propriétés morales, obligatoires, que l'on retrouve dans la bouche des censeurs vieillissants. Facilités à jouer, à déjouer, à s'abandonner, à apprécier dans le tremblement de l'air la fraîcheur d'un miracle supérieur... Impiété dynamique en regard des superficialités admises, des dominations adorées, à mesure que se répand le sentiment musical d'une énergie informulée au milieu de l'espace... Non-jugement qui accède de manière furtive à une nudité seconde, inguérissable, délicieusement savante... Difficulté certaine (or, ne faut-il pas nous en tenir au difficile si nous voulons profondément aimer?) à nous assumer hors de l'enceinte maternante...

Le Père qui impose la Loi légitimant notre émancipation nous redonne instantanément à nous-même. C'est par son retrait, par la distance qu'il met entre nous et lui, qu'il devient l'indice d'un lieu de passage pour l'être, l'espacement énigmatique d'un désir singulier. Notre identité, en passant par ce point incommensurable qui est la condition du refoulement originaire d'où peut opérer la coupure signifiante, se métamorphose en acte de prise en charge de notre destinée, avec ce que cela comporte de continuité, d'interdits, de ruptures, de tiraillements, de pertes souffrantes. Désigner Dieu comme la négation de la jouissance en momifiant l'assomption d'une image virginale du féminin, circonscrire la dialectique de l'être et du vivre à une morne dépendance à l'origine que cette féminité pétrifie, cela a pour résultat de ne faire place à aucun événement, aucune dérive, aucun défi éclatant. La peur de l'échec enferme les audaces dans leur chambre; le dieu froid, dérangé par la moindre exception, subordonne l'esprit au code, trouve sa fin dans notre impuissance à jouir réellement du «péché»;

amour répressif qui ne peut se perpétuer qu'au prix d'angoisses mortifiantes, source de dépression grave, et dont les conséquences malheureuses nous détournent d'une naissance multipliée. Laisser sortir la dépression, accepter de soupçonner que nous sommes déconnecté de nous-même, c'est le risque psychique qu'il faut courir si nous voulons accomplir le deuil préalable à toute transformation. L'indispensable générosité spirituelle à laquelle nous convie la révélation de la Parole du Père aurait dû normalement inscrire l'autre, l'étrangeté, l'insondable au centre de la foi (j'allais dire «de la joie») chrétienne, faisant appel à cet art extrêmement dépaysant d'aimer Dieu de tout notre esprit et de tout notre cœur, et notre voisin comme nous-même. D'ailleurs Jésus lui-même n'est-il pas un étranger sur cette terre, lui qui proclame qu'il n'est «pas de ce monde»?

L'œcuménisme dont se réclament les catholiques qui approfondissent leur foi peut et doit s'étendre – sans pour autant édulcorer l'apport des différences réciproques – à l'ensemble des pratiques spirituelles universelles aspirant à la plénitude de l'amour et à la paix entre les hommes. Aussi, il n'y a pas de mal à être des sujets à part entière, à vouloir s'exprimer inconditionnellement à même les rythmes qui se déplacent au sein de l'univers, *et cela sans lien de fidélité aux images qui prennent au sérieux le «véritable moi», c'est-à-dire celui qui retient chacun chez soi.* L'hétérogénéité de celui qui se considère comme un simple passant reste évidemment répréhensible à l'intérieur du besoin névrotique de sécurité. À l'encontre d'une suffisance idéologique qui ravale le narcissisme créateur au niveau d'un égocentrisme utilitaire, une si princière célébration honore la primauté du vrai regard de chaque être. Pouvoir non coercitif d'engendrer de nouveaux rapports, d'éprouver l'immanence des sentiments, de s'imprégner du silence réel qui permet l'exercice de l'attention, de poursuivre la route au moment où même les points de repère s'évaporent, bref, d'avoir son style, son langage.

À force de faire du corps sexué une occasion de profit pour un système rationnel intransigeant – conformisme toujours pressé de séparer la vie de la mort, les sensations de la réflexion, le connu de l'inconnu – les idées fixes et idéologiquement rentables que produit la société néolibérale de consommation organisent des dépendances fertiles en violences normatives. Les prescriptions d'usage diffament alors notre rareté, étranglent en nous la vision, la tendresse, l'intelligence, l'inventivité, la volupté de la chair. C'est d'ailleurs le culte des morts du nationalisme – vertu transmissible accordée aux aïeux – qui concrétise un souhait de stagnation qui va jusqu'au refus fanatique de notre propre disparition : obéissez à la mémoire des aïeux et vous serez comme eux d'immortels revenants! Le petit manège morbide, c'est automatique, réfute la parole jaillissant d'ailleurs, les œuvres incompréhensibles, le regard pur où le sens chavire. Il en va du souffle brûlant du plus vaste réalisme imaginable, d'une sagesse radicale des cinq sens, d'un non-savoir que nulle orientation précise ne peut tolérer. Une spiritualité dégagée de la crainte de ce qui est : unique ascèse capable de développer une meilleure connaissance de soi. En rupture de continuité avec ce que nous croyons être, elle m'apparaît indispensable à la démarche intellectuelle, peu importe que celle-ci soit religieuse, politique, artistique ou même scientifique, puisque la science, à son tour, finit par asservir l'homme au lieu de le libérer.

Pour la part d'incroyance qui bouillonne en moi, rigueur et ambiguïté nomment la tragique beauté du monde.

On aura compris que je n'aime pas la face murée du Dieu
jaloux et vengeur de l'Ancien Testament, et me situe à
l'opposé de l'Islam intégriste qui exige une soumission
abêtissante de la communauté à une dictature temporelle,
hiérarchique, militaire, et, cela va de soi, fermée à la cha-
rité et au pardon. Les gardiens du Passé (qui se chargent,
et pourquoi pas, avec autant d'habilité du Futur) n'ont
que des fantômes de réponses à nous adresser. La parole
christique, «laisse les morts enterrer leurs morts», vient
là leur rappeler la coupure symbolique qui se porte garante de mon nom propre, splendeur réelle d'un *je* qui
s'assume dans l'authenticité de ses revendications, de ses
extases, de ses égarements et de ses manques.

Fausser compagnie à la tristesse des inhibitions, à la
lourdeur des restrictions mentales; s'offrir un long apprentissage sans guide pour apprendre à se familiariser et
jouer avec l'espace : condition *sine qua non* de l'acte
d'écrire, fissure regagnée de la scansion du désir où le
geste libre d'atteindre arrive sans rien souhaiter. La philosophie orientale, encore trop peu connue au Québec,
nous enseigne à partir du détachement, de la simplicité
clairvoyante de l'ici-maintenant, que l'impermanence du
moi et des phénomènes nous rend aptes à ne pas rester
enchaînés aux événements, mais sans jamais non plus se
soustraire à eux, ce qui serait l'illusion inverse. En fait,
le refus de choisir supporte un regard intuitif, concentré,
éveillé, qui embrasse depuis toujours la réalité ouverte
de l'aujourd'hui. Défi que le non-moi adresse aux méthodes, transmutation de l'observation directe que n'interrompt pas un seul instant le vouloir. Le lien se défait,
le commandement est brisé, l'observateur doit dorénâ-
vant comprendre en passant par lui-même. La somme
des connaissances accumulées se profile en occasion

admirable de douter, de dévier, fulgurante impulsion du lâcher prise pour voir au-delà de la conceptualisation. La sagesse des orientaux ne cesse de nous montrer qu'une œuvre d'art n'a pas à expliquer, seulement à être. Audacieuse rencontre avec l'érosion des signes... Éloge de la vacuité, de l'énergie infiniment délicate... État de flux continuel qui n'en a jamais fini avec le sens de notre venue au monde... Vigilance d'une étoile oubliée qui admet une indifférence scandaleuse à l'égard de sa propre extinction... Respect rempli de silence envers un dépassement des limites du savoir... Aisance du cœur parfumé provoquant l'ineffable magie des rencontres... Humour délinquant qui entraîne dans la danse tout le genre humain... Quelque chose qui ressemble au tact et au goût exigeant d'un artiste...

Un tel état d'esprit nous a révélé, avec douleur cependant, le caractère irremplaçable des œuvres de quelques déracinés, écrivains qui furent marqués en profondeur par le christianisme et qui ont pour noms Émile Nelligan, Saint-Denys Garneau, Anne Hébert, Alain Grandbois. Et ce n'est certes pas un hasard si ceux-ci ont expérimenté différentes formes d'exils – tant ontologiques que géographiques – pour laisser surgir les voix majeures de notre modernité. En côtoyant les marges de la socialité, ces auteurs tourmentés se sont retrouvés confrontés à l'océan, au désert, au néant, à la folie. Ils auront contesté, parfois même à leur insu – ce qui est tout à fait habituel pour des poètes – les dépendances au corps maternel, à la Raison historique, ces lieux de rigidité possessive et de fermeture de la pensée. L'ultime dérogation à la comédie moralisante de leur époque ne se fera pas sans heurts, soulevant des contre-coups inhérents à l'apparition du manque dans le cruel effacement du corps protecteur.

On sait qu'une si grave lucidité, lorsqu'elle confond le sensible et le conceptuel, peut faire sombrer l'être parlant dans une mélancolie sans révolte, «abîme du Rêve» (Nelligan) aux frontières de la possibilité très réelle de la psychose. Et pourtant, malgré le prix à payer, la préoccupation première de ces poètes aura toujours été d'advenir à la beauté et à la vérité de l'être. Paroles imprudemment intenses, absolument mortelles, exposant le sujet à la fureur lumineuse du réel. Leur amour de l'impossible n'aura pas manqué d'inquiéter les retenues bourgeoises et les sollicitations patriotiques, désamorçant de manière inestimable l'avidité dépersonnalisante des systèmes.

Représentant des attributs de sa communauté, l'écrivain soumis à des impératifs d'harmonisation se trouve appelé à ne plus incarner autre chose que sa fonction sociale. À force de vouloir éviter sa rencontre non préméditée avec le réel, à force de planifier aux dépens de la voix qui se délie en parlant à travers l'immanence de la chair, l'expérience créatrice cesse d'entrer en dialogue avec l'histoire en train de s'accomplir. Devenue mondaine, imperméable à l'échec, cette littérature rassurante se contente d'exalter des formes, canoniser des contenus, désamorcer la persévérance royale des mots qui se retournent pour capter un autre aspect du temps, inconnu de nous. Son geste consiste alors à enjoliver ou dramatiser les illusions objectives qui président à l'allégeance mutuelle de la force du nombre et de la conscience embaumée de chacun. Une attitude aussi «familière» camoufle assez mal sa répulsion envers l'ailleurs, ailleurs au contact duquel le moi se crispe et cherche à s'aveugler. Plus intéressé à gravir les échelons de la carrière que d'approfondir une aventure intérieure qui lui soit propre, l'écrivain moderniste se fait extrêmement sensible aux bénéfices marginaux que

pourraient lui procurer les nouveaux courants littéraires
à la mode. Comme une éponge, il absorbe de manière superficielle le thème susceptible de mousser son image de
marque, en attendant le prochain truc branché en mesure
de promouvoir la vente de son ego fluctuant. Est-il nécessaire d'ajouter – avis aux intéressés – que nos plus
récents imitateurs de talent s'en donnent à cœur joie avec
une pseudo-spiritualité dont le moins qu'on puisse dire
est qu'elle s'adapte très bien merci aux besoins d'une
ascension que viendront corroborer les institutions con-
cernées?

Face à un ébranlement probable du sol d'origine, le
malaise ressenti traduit une culpabilité qui se moule à
celle de l'enfant pris en faute par sa mère. Sentinelle de
la Nation (aime ta Nation comme toi-même!), cette mère
détentrice de la Loi épouse à son tour le modèle de l'État
qui légifère. Surveillante d'un État qui veut notre bien
et qui le plus souvent l'aura, en effet, elle est là pour
valoriser un ensemble de prohibitions (maîtriser les passions, contenir l'animalité, refouler les pulsions) qui font
de la personne un simple exécutant incapable de désapprendre. Excluant la désunion, la spirale de la négativité,
le doute, elle se contente de prescrire ce qui doit être
regardé comme vrai. Évacuation du reste, condamnation
de l'espace involontaire où tentations et révélations se
jouent pour ne pas contrarier les constructions mythiques de l'espèce. Bêtise de l'amour qui s'approprie le
souvenir d'un simulâcre qu'on nous dessine depuis des
siècles... Immuabilité d'un cadre occupant la place lais-
sée vacante par une imagination qui se démarque de tout
genre d'ascendant du discours sur l'univers... Il s'agit
bien finalement d'écarter la peur, celle qui, si elle se
donne jusqu'à l'angoisse, aborde un dysfonctionnement

parfait, étape nécessaire à un véritable travail d'analyse. L'écrivain n'a pas à faire l'économie de sa crise. Franchissant l'écran de la naissance et de la mort, son dénuement intérieur adopte une souveraineté sans mission, sans haine, étonnante de danger. Le vieux démon de la sexualité qui contemple le ciel n'a nul besoin de prodiges. En rendant vulnérable la parole symbiotique du Même, il atteste ce qui seul importe vraiment.

Impossible aussi de situer notre modernité sans que s'impose à moi la figure du peintre Paul-Émile Borduas. La place centrale que je lui reconnais dans ma passion d'autonomie parle déjà d'elle-même. J'ai tout de suite *aimé* cet homme pour la qualité de sa sensibilité et de son courage. Mon approche a donc été avant tout de l'ordre d'une solidarité affective, rencontre avec une lucidité artistique sans précédent pour un peuple soumis, timide, qui se dévalorise lui-même en se faisant un devoir de dénigrer ses novateurs. Et je crois encore que l'expérience de Borduas – l'artiste le plus libre de son temps – demeure exemplaire pour nous tous, tant par son geste radicalement créateur que par une profondeur d'esprit rarement atteinte jusque-là au Canada français. Malgré les mélectures qui tenteront de neutraliser sa dimension irradiante, nous sommes bien obligé de redire avec André Beaudet (voir le très bel hommage en forme d'analyse qu'il lui rend dans *La Désespérante Expérience Borduas*, revue Les Herbes rouges, n°s 92-93, 1981) que «nous n'avons pas encore commencé à penser avec Borduas». C'est à l'encontre de «la terreur refoulante (maternelle, familiale ou nationale)» que Beaudet fait jouer la coupure automatiste, lui redonne sa charge de communication excédant les messages autorisés.

Écoutons Borduas nous parler : «Non, pas question de nationalisme : je les ai tous en horreur. Je reste apolitique» («Lettres à Claude Gauvreau», reproduites dans *Liberté,* 22 avril 1962). La guerre menée contre notre indivision ostracisante lui aura quand même coûté très cher. Mais pourquoi le coup vengeur de l'exclusion de la part de sa société? Parce que ce mauvais sujet s'est permis de trahir le catéchisme politico-esthétique de son temps, et ce, en dérogeant à la raison autoritaire bien admise. À la «volupté d'être sans racines» à New York (J. E.-B., «Conversation rue Rousselet», *Écrits I,* PUM, 1987, p. 632) s'intègre le «je nage en pleine éternité. J'ai accepté ma folie» («Borduas parmi nous», entretien, *Le Devoir,* 18 octobre 1952) d'avant son départ pour les États-Unis. Ces confidences pour le moins curieuses s'avèrent capitales, elles lèvent le voile sur presque deux siècles de «petites misères entachées d'archaïsmes» («Lettres à Claude Gauvreau», dans *Liberté, op. cit.*). La folie comme délivrance? Beau paradoxe! Et pourtant seule une insécurité fondamentale peut nous permettre de faire le saut hors du cercle d'un amour qui porte le nom censurant d'une communauté. Le sujet doit donc se quitter lui-même, être absolument sans défense, à la portée d'une crise qui nous approfondit. Itinérance de Borduas magistralement scandée depuis Montréal, New York, Paris. Remarquons que Borduas prête au cosmopolitisme de New York un statut privilégié, et considère cette ville, contrairement au Montréal de l'époque, comme «un point géographique qui est ouvert à l'univers, sur le monde» : «Montréal, c'est un point canadien. Il y a des frontières autour de Montréal. La vie est ici en famille, plus chaude, plus touchante qu'elle ne l'est à New York sans doute, mais elle reste en famille et ça ne sort pas, ça ne sort pas de l'autre côté. Or, à New York, nous avons cette communion, une communion qui est assez abstraite, mais avec l'univers, et qui a été pour moi un stimulant considérable.» («Borduas parle», série d'entretiens reproduits dans *Liberté,* nᵒˢ 19-20, janvier-février 1962). Le «NOUS QUITTIONS LA COMMUNE MESURE» de ses *Projections libérantes* signe le dynamisme démesuré du oui sexuel en art, un oui qui est, à n'en pas douter, une affaire de grâce plus que de loi. Excentricité d'une errance qui se dépense et se détache, sortie hors de soi pour rejoindre un domaine où «la plénitude émotive du présent» (PL) n'est pas différente de la recomposition quotidienne des galaxies («Nous jouons les étoiles!» écrit-il en réponse à une enquête de J.-R. Ostiguy, voir *Écrits I, op. cit.,* p. 535).

Les plus récentes recherches universitaires en la matière, de même que la publication de ses *Écrits I* et *II* aux PUM, donnent à imaginer que ce peintre était aussi un intellectuel de premier plan, voire un écrivain marginal qui voulait «aller au bout des mots» en se livrant à l'expérience brûlante de la pensée. D'ailleurs la thèse de doctorat de Gilles Lapointe[7] nous laisse un avant-goût de toute

7. Gilles Lapointe, *L'Envol des signes,* Borduas et ses lettres, Montréal, éd. CÉTUQ-Fides, 1996. Travail éminent dont il faut noter, cependant, le réflexe de réduction rationaliste que présuppose la récupération institutionnelle de la thèse. Ainsi le cas Borduas est montré comme issu et dérivant d'une démarche rationnelle honteusement narcissique et volontairement inavouée. Les notions de subjectivité, d'authenticité, de spontanéité se retrouvent ici suspectées d'ignorance. Si l'être est effectivement une grandeur qui émerge de la rationalisation du monde, l'artiste créateur est là pour aller *au-delà* et vivre cet instant irréductible de l'équilibre impossible de la matière, emportement d'une infinitude qui l'arrache à toute certitude théorique. De tels débordements, réduisant à néant nos espoirs de contrôle et de généralisation, luttent pour une indé-

la richesse intuitive qui se trouve enfouie dans sa correspondance. L'échange épistolaire – dans son exigence spirituelle – aura finalement servi à creuser le lien toujours tendu entre une pratique artistique et ses répercussions philosophiques, théoriques, existentielles; ce qu'a très bien saisi André Beaudet en parlant de «la fonction récursive de l'écriture qui vient re-marquer le parcours de Borduas en peinture» (*La Désespérante Expérience Borduas, op. cit.,* p. 26).

Je me contenterai de noter au passage la place tout à fait hors du commun qu'occupe l'artiste par rapport à sa mère, notamment à l'occasion de son premier séjour à Paris, de novembre 1928 à juin 1930. Venant à peine de démissionner comme professeur à la Commission des écoles catholiques de Montréal, il s'inscrit comme élève aux Ateliers d'art sacré de Maurice Denis. Son amour du voyage durant sa vie entière (on sait qu'il va parcourir l'Europe, séjourner longuement à Paris et à New York, projeter même un voyage au Japon) atteste son rejet catégorique de toute sédentarité, de la moindre fixation à une surface garante de la tranquille reproduction des valeurs reçues. Ceci ne pourra manquer de heurter de front sa mère, en lui opposant l'humeur sauvage d'une impudente émancipation. En se mettant à distance de celle-ci (autant que de cette autre, la mère patrie), ce jeune homme de vingt-trois ans fait de son vagabondage la condition d'une rupture portant atteinte aux traditions qui régissent alors la moralité puritaine au

pendance qui s'éclaire du dedans, une liberté libre extérieure à toutes nécessités. Borduas nous offre la chance d'accueillir une œuvre : celle qui atteint l'espace illimité, le non-savoir du silence; celle qui échappe à la raison mutilante et à l'enracinement dans le vouloir de l'esprit. C'est sûrement à cause de cela que tant de peintres et d'écrivains se réclament de son «parti».

Canada français. Le sujet Borduas s'avère allergique à quelque autorité que ce soit, y compris celle qui s'insinue de façon bienveillante sous les recommandations maternelles (le père étant pour ainsi dire exclu de la dynamique épistolaire). Le garçon récalcitrant met ainsi de l'avant une éthique de l'*inutilisable* qui ne le quittera plus et que synthétisera son manifeste une vingtaine d'années plus tard. Gilles Lapointe nous rappelle les circonstances qui amènent Borduas à couper le cordon ombilical. Cette mère qui cherche à exercer une influence chrétienne sur le cosmopolitisme de son garçon ne réussira nullement à ébranler son athéisme naissant. Le nœud de ce tiraillement mère / fils concerne bien entendu le danger sexuel que représente Paris pour un jeune Canadien français. Les mises en garde en ce qui a trait à une jolie Française dont il s'est entiché se font clairement entendre, mais en vain[8].

Sorte de grand deuil symbolique, le séjour à Paris confirme un état d'esprit qui ne cessera d'avoir soif d'inconnu, inconnu que la mère était là pour aspirer en occultant l'écart différentiel du sexe et de la mort[9]. Ainsi la prise de contact avec la culture étrangère, par l'entremise de ses grands peintres, de ses écrivains modernes, alliée à l'initiation aux illicites «plaisirs d'amour : Lulu

---

8. «Je te remercie pour les photos que tu as bien voulu m'envoyer, je les trouve très bien, elle a l'air bien gentille ta petite amie, *ne t'y laisse pas prendre* [...] Excuse ma lettre elle fait pitié avec ses phrases sans suite [...] Souvent inquiète Ta mère.» Èva Perrault-Borduas, 12 juillet 1929, cité dans *L'Envol des signes, op. cit.*, p. 37.

9. Robert Élie soulignera chez son contemporain «cette exacte reconnaissance de la mort». Robert Élie, «Borduas», *Œuvres*, p. 603, cité dans *L'Envol des signes, op.cit.*, p. 157.

et cie», toujours «sans savoir où je vais[10]», le retranche
une fois pour toutes du cercle sclérosant de ses origines. Gilles Lapointe remarque que plus cette mère insiste pour lui remémorer ses devoirs de fils appartenant
à une famille catholique, plus ce fils accentue une distance où il élimine la dette envers celle qui lui a donné
la vie. Cessant de lui rembourser sa vie, il se doit dorénavant uniquement à la peinture. Il ira donc jusqu'à es-
pacer ses lettres alors que sa mère lui avoue à plusieurs
reprises souffrir de son absence et de la lenteur que son
courrier met à lui parvenir. D'ailleurs le véritable lap-
sus que constitue la méprise de Borduas qui envoie «par
erreur» une lettre écrite pour cette jeune Française «in-
désirable» à sa propre mère (invertissant les envelop-
pes), en dit long sur le caractère rebelle d'un tel fils. Il
impose à cette mère blessée un vide, une absence qui
témoigne de l'intempestive avance de ses plaisirs[11]. Mais
le moment fort d'une si singulière relation demeure celui du décès de madame Borduas. Malgré sa douleur, le
peintre (alors à Paris) opte pour la ligne dure et ne se
rend pas s'agenouiller devant l'icône maternelle : «Cette chère maman, il m'est impossible de me l'imaginer
ailleurs que dans sa chambre!... Je regrette ces circonstances sévères qui ont interdit d'être parmi vous à l'occasion de sa mort. J'ignore le temps qu'il faudra rester
ici. Ce sera peut-être très long! L'aventure doit être

---

10. Paul-Émile Borduas, *Projections libérantes,* Montréal, éd. Parti
pris, 1974, p. 33. Cette politique du *laisser faire* est strictement
amorale. Je n'hésite pas à la mettre en parallèle avec le geste fulgurant de l'automatisme.
11. Voir *L'Envol des signes, op. cit.,* p. 36-37.

menée jusqu'au bout quoi qu'il advienne[12]...» Attitude qui, bien que beaucoup moins grave, n'est pas sans faire songer au comportement scandaleux d'un Meursault (narrateur du roman *L'Étranger,* d'Albert Camus) qui n'éprouve que de l'indifférence en assistant à l'enterrement de sa mère. On pourrait encore évoquer le geste sacrilège du narrateur du roman *Le Bleu du ciel,* de Georges Bataille, qui avoue – non sans angoisse – s'être branlé tout près de la dépouille de sa mère[13]. Sur la même lancée, mais dans un autre registre, prenons acte de la parodie des rites funéraires dans *Ulysse,* de Joyce, à travers la scène des funérailles du vieux Dan O, où l'auteur désacralise la mascarade entourant le cadavre. On se souviendra que ce roman monumental s'ouvre, tout comme *L'Étranger* de Camus d'ailleurs, en posant le rapport controversé du héros avec sa mère décédée[14]. Un tel

---

12. Paul-Émile Borduas à Jeanne Borduas-Brisebois, 31 mai 1956, archives Yolande Brisebois, cité par Gilles Lapointe, *L'Envol des signes, op. cit.,* p. 119.

13. «... Les pieds nus, je m'avançais dans le couloir en tremblant... Je tremblais de peur et d'excitation devant le cadavre, à bout d'excitation... j'étais en transe... J'enlevai mon pyjama... je me suis... tu comprends...», *Le Bleu du ciel,* Paris, Union générale d'édition, coll. «10/18», 1971, p. 94.

14. « – Notre puissante mère, dit Buck Mulligan. / Et reportant soudain ses grands yeux inquisiteurs de la mer sur le visage de Stephen : / – Ma tante croit que vous avez tué votre mère. C'est pour ça qu'elle ne voudrait pas me voir frayer avec vous. / – Quelqu'un l'a tuée, fit Stephen, sombre. / – Nom de Dieu, Kinch, vous auriez tout de même pu vous mettre à genoux quand votre mère mourante vous l'a demandé. Je suis un animal à sang froid comme vous. Mais penser que votre mère à son dernier soupir vous a supplié de vous agenouiller et de prier pour elle; et que vous avez refusé! Il y a en vous quelque chose de démoniaque...». *Ulysse,* tome I, Paris, éd. Gallimard, coll. «Folio», 1991, p. 12.

irrespect de la part de ces écrivains débouche sur une éthique radicale de la création : éveil fortement obscène, brusque comme une flamme... migration aérienne où la bulle de la nostalgie éclate... science musicale qui nous met hors de soi, le corps dégagé des entraves de l'esprit... nudité sans méfiance, à contre-courant des habitudes du temps et des prescriptions de l'Histoire...

L'artiste, se considérant alors lui-même comme un personnage de roman, s'accorde avant son corps la permission de tisser et détisser son image. Il traverse ainsi les spectres de la mère et du père pour advenir à la pure sensation d'exister, matière lumineuse au bord de ses doigts, bond en dehors des quatre murs certifiés du temps («cette vieille farce sinistre», nous dirait André Breton). Par une recherche constante de lui-même, Borduas se détache des motifs aliénants qui pourraient minimiser sa «désespérante expérience». Jouisseur invétéré, doté d'un narcissisme qui se prête sans compromis et sans repos à des transgressions dégagées de tout impératif à court terme, il aura connu cet art extrêmement raffiné de prendre entre ses mains une pulsation claire. Son travail qui va se purifiant jusqu'à sa mort nous aura grandement aidé à déboulonner les idoles de notre mystique nationale, celle du triste renfermement sur un soi déjà jugé. Faisant fi des ressentiments de son époque, il se conçoit posthume de son vivant, condition essentielle à la production d'une œuvre qui dépasse les limites du raisonnable. Tremblement d'une personnalité exposée à la réprobation générale, aux mésinterprétations de plusieurs, et qui se recrée infatigablement... Intuition de l'*autre côté* refoulé, fugitif, inaudible, où la terre transcendée se renverse pour laisser flamboyer le principe même de la vie et pousser plus loin la grande révolte... Impudeur à faire sursauter les automates que nous sommes déjà, dans notre impuissance à goûter à la pleine saveur de chaque chose... Paul-Émile Borduas, peintre des passages déchirant doucement l'arrêt, le mensonge... Peintre qui tombe seul, abandonné, au milieu de l'intimité inattendue de l'espace... Peintre qui accueille en défaillant l'accident au bord du gouffre... Conscience retournée par un complet oubli de soi, et qui s'en tient à la mouvante frondaison de son geste, de son souffle... Nous n'avons pas fini de mesurer tout ce que notre présente littérature lui doit.

Sous l'impulsion d'un déséquilibre non encore écrit, la chose littéraire réclame de nous une mobilité, une grâce supplémentaire. Elle s'affine pour bousculer nos mentalités dualistes, celles qui séparent délibérément le corps de l'esprit et ratent ainsi la lecture de leur troublante altérité. La nature fondamentale de la nuit nous habite, c'est à l'écriture de la laisser parler. Il serait bon, pour mieux discerner le processus qu'anime le rapport tendu entre corps et idéologie, pour mieux soupeser les enjeux philosophiques de l'impropriété littéraire comme traitement singulier de nos contradictions, de relire attentivement le *Journal d'un inquisiteur* de Gilles Leclerc[15]. L'auteur y décrit la complicité organique entre la «crispation des

15. *Journal d'un inquisiteur,* Montréal, éd. du Jour, 1974. Entre autres réflexions : «La société est la plus cruelle des fictions humaines; malheur donc à l'individu qui ne se sent pas de vocation particulière à l'idolâtrie. Et précisément parce qu'elle est une fiction, elle jouit d'une réputation sacrale dans les cervelles des masses et des hiérarchies. Ces dernières ont tout avantage à s'identifier à la société, car le geste de fusion les vide de la peur et les gonfle de l'illusion de la force, masses et hiérarchies ne réalisant jamais en elles l'autonomie spirituelle. La force est toujours soupçonneuse : elle est la parodie de la peur!» (p. 120).

viscères» et l'idée messianique. Intervention radicale, éclatante de colère, le pamphlet de Gilles Leclerc dénonce le «familialisme ostracisant», «l'appauvrissement spirituel», «l'opium de la fidélité» par lesquels les Canadiens français prétendument québécois continuent d'associer la culture à «une entreprise de salut éternel» (que le salut soit religieux ou politique ne change rien à l'affaire). En se démarquant du sens totalitaire, l'essayiste en appelle à la grâce, à l'esprit, à une transcendance dont la tâche est de désamorcer avec le plus grand soin le chantage de la tombe et du berceau. Dévorante passion qui va au-delà de l'Histoire et de l'efficacité des systèmes; mise en échec d'une servitude temporelle qui s'en remet à la «fatalité historique» pour mieux calomnier le «démon intérieur» de la libre pensée. Ses remarques souvent blessantes restent actuelles, elles nous amènent à réaliser des vérités que nous préférons écarter. Elles donnent au métissage en art la possibilité de nous enrichir si nous accueillons les influences d'où qu'elles viennent, elles font barrage à tout sens oppressant de la propriété. L'avènement de notre spécificité se trouve ainsi lié à la démystification d'une homogénéité peureuse qui fait de la culture commune une exigence doctrinale.

Il pourra sembler bizarre, aux yeux de la foi nationaliste, que notre plus grand poète, Saint-Denys Garneau, se dissocie à son tour de la notion du national, la qualifiant de mystique rétroactive, contre nature, stérile et stérilisante : «Dès qu'on parle d'éducation, il semble que le mot national tombe de lui-même comme inadéquat. La matière qui nous est offerte est pleinement humaine et dès que l'attention dévie sur le national, il semble que l'équilibre est rompu en faveur de l'immédiat et perd tout de suite sa profondeur, c'est-à-dire qu'on ne touche plus le fond. Est-ce que les éducateurs formés dans le sens du national ne risquent pas d'avoir l'esprit vite arrêté, de ne pas voir les problèmes dans toute leur ampleur qui est humaine[16]?» En conflit ouvert avec l'unanimité des consensus qui rend chacun apte à se duper orgueilleusement soi-même, refusant de souscrire à l'abrutissement valorisé des masses humaines, l'universalisme de Saint-Denys Garneau a été un facteur de contre-censure sans précédent au Canada français. Mentionnons que ce même Saint-Denys Garneau est hautement apprécié par le penseur du *Refus global,* penseur qui n'hésite pas à qualifier ses poèmes de prise de conscience aiguë face au «vieux sommeil canadien» de l'esprit[17]. Avec sa solitude presque hérétique, sa sensibilité exubérante, sa souffrance qui interroge, il aura insufflé à son époque les vacillements d'une présence scandaleusement charnelle qui interpelle le transcendant. Musique minutieuse, intimiste, en train de longer le labyrinthe de soi... Cheminement d'une conscience écartelée qui se débat avec la fente du vide

---

16. *Journal,* Montréal, éd. Beauchemin, 1971, p. 210. Et encore : «Est-ce que la culture peut être envisagée sous l'angle nationaliste? Il me semble que non. La culture est chose essentiellement humaine dans son but, elle est essentiellement humaniste. Faire des Canadiens français est une notion qui a peut-être cours mais qui n'a aucun sens. Elle est même à contre sens et à contre nature. On peut prendre conscience de soi pour se donner, se parfaire : mais non pas pour se *parfaire soi,* mais bien pour se *parfaire homme*», (p. 205). N'oublions pas que le mépris borné de notre célèbre pamphlétaire Valdombre, alias Claude-Henri Grignon – chien de garde du territoire national s'il en fut – dénigrera notre premier recueil en vers libres publié au Québec, condamnant les écarts qui excèdent l'héritage raisonnable de *sa* langue française. Voir Valdombre, *Regards et jeux dans l'espace,* dans *En Avant!,* 26 mars 1937, p. 3.

17. Paul-Émile Borduas, *Écrits I, op. cit.,* p. 519.

effervescent... Vulnérable et désarmante poésie dévisageant la préhistoire du visible... Cette dilatation du verbe, cette émotion spirituelle qui outrepasse les prescriptions du siècle, relèvent directement de ce que j'appelle *la pensée en acte*. Non pas, bien sûr, celle où les mots s'imaginent illusoirement remplacer l'expérience vraie, et qui constitue les prétentions réalistes des discours qui nous obligent à rester de sages consommateurs pour mieux nous abuser, non. Il s'agirait bien plutôt – combat minoritaire et désespéré s'il le faut – d'une subversion minuscule qui propulse l'être dans l'ouvert; un être sexué, divisé, en procès, frappé de transparence, saisi par le tumulte de l'effraction à la fine pointe de son esprit.

Au fil de ses pulsions, Saint-Denys Garneau fait de l'amour, de la mort, de la langue quelque chose de nouveau, encore impensé, encore admirable. Ténacité intacte d'une autre sorte d'adhésion à l'humilité matérielle... Flexibilité fiévreuse d'un abandon qui cherche à surmonter la nostalgie de l'objet perdu... Engagement éthique qui évite de tomber dans le piège facile de la crédulité dominante... Inimitable murmure d'une main qui soutient l'effritement des bornes, et que le vocabulaire de la pauvreté illumine... Dégagement nous faisant signe depuis un pays qu'on ne reconnaît pas, un pays fortuit, accidentel, inconcevable... Exercice de concentration sans visée qui frôle l'absence du divin sans pour autant paniquer et chercher à endosser son envers obligé : le culte d'une Raison qui se charge de tout savoir et tout régler. Les forces hostiles toujours prêtes à disposer du mystère au nom de la race ou de la classe, très peu pour lui merci.

Avec «sa vocation du désert» qui le met à l'épreuve, Saint-Denys Garneau nous confie : «Je suis complètement en suspens, étant peut-être à perpétuité en état d'attente pour ce qui est de la religion. / Mais il me faut *réaliser* le don» (*Journal*, p. 203). Et c'est paradoxalement parce qu'il échoue à réaliser le don, parce qu'il «marche à côté d'une joie» tout en laissant bâiller le voile sur la puissante et subtile machine de contraintes du puritanisme, que la singularité de son œuvre nous bouleverse tellement. Et pourtant, ses *Regards et jeux dans l'espace* rendent un hommage non équivoque à la «Joie de jouer!» des enfants. Pourquoi donc, à la fin de son recueil, ce sentiment si à vif d'être *à côté* de lui-même? Peut-être, essentiellement, parce que «nous transportons le poids des morts plus que celui des vivants» («Les solitudes»), cause première de cette joie disparue, de cette joie «mangé(e)», nous dira-t-il expressément. Un texte de Saint-Denys Garneau sur sa mère rend très explicite les raisons fantasmatiques qui empêchent le don de se donner. En parlant de «l'influence des femmes dans [sa] vie», le poète écrit : «elles sont les vierges qui entretiennent en moi le petit feu sacré auquel je veux croire; elles sont mon refuge, ma consolation, ma joie. / La première en date est ma mère» (*Cahiers de Saint-Denys Garneau, Mémorial*, éd. du Noroît, 1996, p. 20). Cette mère vierge qui déifie la réalité féminine devient l'équivalent d'une indifférenciation symbolique. La dette écrasante de la mise au monde fait de l'homme ou de la femme un éternel enfant qui essaie de se rendre aussi parfait que sa mère, en luttant contre ses propres désirs. Le père rabaissé ne soutient plus la loi symbolique qu'il est destiné à rendre présente. Toute jouissance vient alors salir la mère immaculée.

L'écrivain ajoute un élément arbitraire, illégitime, aux dogmes paresseux des fondations. Il en arrive à se rapprocher de ce que le bouddhisme indien, le bouddhisme zen, le taoïsme chinois, le soufisme islamique et le mysticisme chrétien (voir Maître Eckart) surnomment détachement, délaissement, non-savoir, non-vouloir, consentement à ce qui est, moment d'assouplissante perception. Pour être assuré de sa route, il lui faut marcher dans la nuit de sa sensibilité, avec l'impression d'avoir tout perdu, tout retrouvé. Il ne peut d'aucune façon se contenter d'une dévotion historique d'apparence convenable. Au Québec, la fidélité envers l'Histoire, son éternelle sanctification d'un passé qui bloque les élans d'une subjectivité inassignable, n'est-ce pas en partie le résultat d'un traumatisme de la Conquête qui nous obsède encore, prétexte aux lamentables régressions intellectuelles? N'est-ce pas la manifestation lointaine de cet esprit (de) vaincu qui se replie sur soi au détriment de la transcendance, impuissant à se ressourcer à même l'imprenable soleil de notre imaginaire? Il est plus que temps de réaffirmer notre condition originale de nouvel étranger dans l'Histoire; occasion périlleuse, certes, mais ô combien nécessaire, d'une deuxième naissance. Être à hauteur de soi, on y arrive par le plus frémissant désordre de nous-même. On n'a pas besoin autant d'un début que d'un événement qui creuse un trou dans notre sommeil; pont silencieux qui donne accès à un autre lieu... un autre temps... Mémoire sans regret, sans espoir, se départageant d'un provincialisme secrètement résigné et maladroitement prétentieux.

Les inspirations très lentes et instantanées de l'écriture remodèlent notre sentiment d'humanité au milieu de l'espace. Elles nous font passer sur-le-champ dans une quatrième dimension très ancienne, place inoccupée où la musique exauce enfin notre corps. Innocence superbe, voilà que notre chaleur dans son impunité est mûre pour concevoir les généalogies, les compartiments, comme autant de nœuds dénouables. Plus loin que toute maîtrise, celui qui respire sans se demander d'où il vient et où il va prend conscience que le centre, que le cœur est à la fois voyou et voyant. Il rend perceptible la distance de soi à soi, embrasure permanente de l'intellection et du jeu des valeurs. Inauguration d'un laboratoire de deuil qui nous enseigne la mort de la mort, le dégagement du don, l'écoute du pur consentement de l'herbe derrière nos murs... Simplicité rare, alchimique, que l'innommé dans l'oreille accompagne activement... Le sujet de l'écriture éprouve la proximité d'une prière vacante sur sa langue, met le doigt sur son incomplétude plus grande que le vrai (car l'authentique peut très bien à son tour se muer en fanatisme, vous savez?). *Trou noir de notre perfection absolue, passage décisif de l'oubli,* le combat créateur penche en faveur d'une élévation des intensités. L'élémentaire dignité humaine dont il se revendique implique une déclaration de guerre contre les imbéciles satisfaits, un saut passionné hors d'un monde qui prêche la fatalité économique, disqualifie l'expression personnelle et condamne l'illisibilité qui interroge notre langue. L'urgence de marcher dans le désert de soi jusqu'à toucher à une immense et incessante libération intérieure se fait plus que jamais sentir. Nous pourrions peut-être nous demander s'il est temps de nous y intéresser; avec nos rires, avec nos larmes, pour goûter à la coexistence momentanée des réponses; à condition, bien sûr, qu'il s'agisse de réponses incroyables...

Table

LA PASSION D'AUTONOMIE
LITTÉRATURE ET NATIONALISME

UNE DÉCOMPOSITION TRANQUILLE

Éditions Les Herbes rouges
3575, boulevard Saint-Laurent, bureau 304
Montréal (Québec) H2X 2T7
Téléphone : (514) 845-4039
Télécopieur : (514) 845-3629

Document de couverture :
Paul-Émile Borduas, *Gouttes bleues,* 1955
© Musée des beaux-arts de Montréal
Don du D^r et de Mme Max Stern
Photo : Musée des beaux-arts de Montréal

Distribution : Diffusion Dimedia inc.
539, boulevard Lebeau
Saint-Laurent (Québec) H4N 1S2
Téléphone : (514) 336-3941

Diffusion en Europe : Librairie du Québec
30, rue Gay-Lussac
75005 Paris (France)
Téléphone : 43-54-49-02
Télécopieur : 43-54-39-15

Cet ouvrage a été achevé d'imprimer
aux ateliers d'AGMV Marquis inc.
à Cap-Saint-Ignace en octobre 1997
pour le compte des
Éditions Les Herbes rouges

Imprimé au Québec (Canada)